clave

Chin-Ning Chu es una renombrada conferenciante, descendiente de Chu Yuan-Zhang, el humilde campesino que se convirtió en el primer emperador de la dinastía Ming tras derrotar al sucesor de Gengis Jan. Chin-Ning Chu preside varias corporaciones entre las que se encuentran Asian Marketing Consultants, Inc., Neuroscience Industries, Inc. y Strategic Learning Institute.

El arte de la guerra para las mujeres

CHIN-NING CHU

Traducción de
Lola Navío Martínez

DEBOLS!LLO

Título original: *The Art of War for Women*

Primera edición en Debolsillo: enero, 2011

Printed in Spain – Impreso en España

ISBN: 978-84-9908-721-4
Depósito legal: B-41766-2010

Compuesto en Anglofort, S. A.

Impreso en Liberdúplex, S. L. U.
Sant Llorenç d'Hortons (Barcelona)

P 887214

Índice general

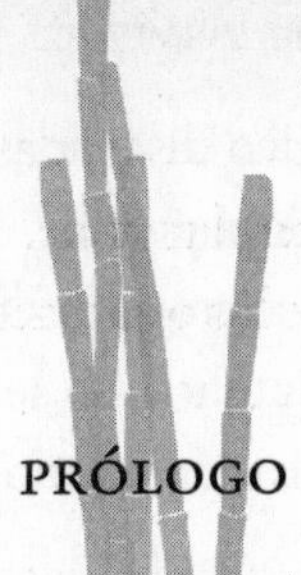

PRÓLOGO

Trata del arte, no de la guerra

En Occidente, cuando pensamos en la guerra nos imaginamos a generales rivales dirigiendo sus tropas hacia la victoria. Una vez finalizada la batalla, el vencedor es aquel que conserva el mayor número de soldados. Así que, como es lógico, cuando oímos hablar de un libro titulado *El arte de la guerra para las mujeres* pensamos en contiendas, heridos y brutalidad.

Sin embargo, Sun Tzu (Sun es el apellido, Tzu significa maestro), el hombre que escribió *El arte de la guerra* hace unos dos mil quinientos años, era chino y ellos entienden la guerra de forma distinta a como la interpretamos en Occidente. Para los chinos la batalla no gira en torno a los enfrentamientos, sino a determinar cómo obtener la victoria con la mayor eficacia y el mínimo conflicto.

Es importante tener en cuenta la diferencia entre la filosofía de guerra oriental y occidental; de hecho, en ella radica la esencia misma de mi libro. Durante cientos de años, jefes militares, políticos y hombres de negocios de todo el mundo han estudiado *El arte de la guerra* de Sun Tzu. El libro no trata en absoluto sobre la guerra, sino que es un conjunto de técnicas de pensamiento estratégico diseñadas para conseguir tu objetivo de la manera más eficaz posible.

Este fin puede ser una victoria militar o un triunfo en los negocios; da igual si estás intentando ser más astuta que la competencia o si «solo» estás esforzándote para conseguir un ascenso en el trabajo.

No importa cuál sea tu intención, los principios y las estrategias del maestro Sun son los mismos: el propósito de sus consejos siempre es obtener el mejor resultado con el mínimo conflicto.

Este es el motivo por el que *El arte de la guerra* es tan apropiado para las mujeres. Seamos realistas: aunque seamos muy inteligentes y estemos muy preparadas, pocas son las mujeres que se sienten cómodas ante un enfrentamiento directo o ante situaciones en las que nuestro triunfo es el resultado de la derrota de alguien. Somos negociadoras por naturaleza y tenemos la habilidad de solucionar problemas; la mayoría preferimos situaciones en las que todas las partes ganan, a aquellas en las que la vencedora se queda con todo.

Pero existe otra razón por la que es ideal para nosotras. Aunque el libro de Sun Tzu versa sobre la aplicación de estrategias, cada una de ellas empieza con el conocimiento profundo del entorno y de las personas con quienes vamos a tratar. No obstante, y esto es lo más importante, también es necesario que nos conozcamos a nosotras mismas: las virtudes y los defectos, los objetivos y los temores. Es decir, este libro no intenta que se apliquen una serie de normas con frialdad y sin reflexión, sino que nos integremos en las estrategias que vayamos a utilizar, que trabajemos con naturalidad sobre quiénes somos y unamos nuestra personalidad y talento únicos para conseguir aquello que deseamos. Así como el maestro Sun admite que no puedes separar tus acciones de tu persona, este libro te enseñará a utilizar lo que tienes para obtener lo que deseas.

A menos que estés dispuesta a analizar tus problemas personales, filosóficos y emocionales, no podrás entender totalmente la aplicación de sus ideas puesto que el maestro no hace distinciones entre lo tangible y lo abstracto o lo emocional y lo racional. Este libro te enseñará a conocer tus puntos débiles y a idear estrategias para transformarlos en puntos fuertes. Asimismo, observarás que tus mayores virtudes pueden convertirse en puntos débiles.

Este no es un libro para sentirse bien (pero estoy segura de que te sentirás bien después de haberlo leído) ni es un libro de motivación (pero te prometo que leerlo te motivará para conseguir lo que anhelas). Por último, su objetivo es proporcionar a las mujeres las estrategias que necesitamos para superar los obstáculos que impiden que consigamos todo aquello a lo que aspiramos.

En las siguientes páginas aprenderás a:

- Vencer sin luchar.
- Integrar perfectamente tu ética y las necesidades prácticas de ganarte la vida (puedes conseguirlo sin sacrificar tu integridad).
- Desarrollar la capacidad de tomar decisiones para tener una «visión general» y dominar el pensamiento estratégico en su totalidad.

– Ser más innovadora y creativa, y adaptarte mejor integrando tu propio estilo y filosofía en las acciones que emprendas.

Y, tal vez lo más importante, aprenderás a:

– Transformar las estrategias universalmente aplicables de *El arte de la guerra* en herramientas para triunfar en todo lo que te propongas.

Cuando domines las tácticas de Sun Tzu, verás lo que otras personas no pueden ver y escucharás los mensajes silenciosos que otros no alcanzan a escuchar.

Este libro está escrito para ti

Puedes llegar a ser una experta estratega, ya sea tu objetivo convertirte en directora general, empresaria, profesora, corredora de bolsa, productora de cine o astronauta. Incluso si tu deseo en la vida es ser una buena madre y una persona más feliz (lo que sin lugar a dudas es una meta muy respetable), estudiar *El arte de la guerra para las mujeres* te ayudará a convertir tus defectos en virtudes.

No importa si te sientes más cómoda con zapatos de cristal o con botas militares, puedes aprender a pensar como una estratega y una guerrera eficiente.

Todo es posible cuando dominas *El arte de la guerra* de Sun Tzu.

Un enfoque holístico para triunfar

Un último apunte antes de empezar.

Aunque este libro pretende fortalecer a las mujeres, no es un libro contra los hombres. Siento afecto por ellos, estoy en deuda con muchos hombres que me han proporcionado la ayuda que necesitaba a lo largo de mi carrera solo porque querían sinceramente que triunfase. Sin embargo, no debemos olvidar que las mujeres poseemos talentos únicos que, si los aceptamos, nos ayudarán a ponernos a la misma altura en el terreno de juego de los negocios. No tenemos que actuar como lo han hecho ellos, podemos hacer las cosas a nuestro estilo.

Los hombres han asumido los conceptos de guerra y combate como el aire que respiran. Durante miles de años han librado la batalla de la vida y se les ha entrenado para que piensen como guerreros, desde el campo de batalla hasta la oficina. A ellos este enfoque puede irles bien, pero no siempre es el apropiado para nosotras.

Mi intención es analizar estrategias que puedan ayudar a las mujeres a sentirse muy femeninas, al mismo tiempo que consiguen llegar personal y profesionalmente a su punto más álgido.

El arte de la guerra versa sobre la vida, la muerte, el miedo, la valentía, el subterfugio, la integridad, la victoria y la derrota, el honor y la vergüenza, el beneficio y la pérdida, la incertidumbre y la ingenuidad, el compromiso y la responsabilidad.

También trata de las relaciones y de la manera de comunicarse con aquellos a quienes consideras generales, compañeros soldados e incluso adversarios.

Pero sobre todo, el libro habla de cómo tienes que jugar las cartas que la vida te ha repartido, es un planteamiento holístico para alcanzar tus objetivos.

INTRODUCCIÓN

Sun Tzu y su arte de la guerra

«Antes quería casarme con un millonario, ahora quiero ser millonaria.»

Esto decía el anuncio de una agencia de colocación que vi no hace mucho. Lo que me ha sorprendido es lo extendida que está esta idea; las mujeres norteamericanas no son las únicas que desean tener éxito en los negocios: las de Canadá, España, Alemania, Francia, China e Inglaterra anhelan lo mismo. Es un fenómeno internacional, un vínculo entre mujeres que no entiende de culturas ni de fronteras.

Durante la mayor parte del siglo XX se creía que era imposible que una mujer consiguiese todo lo que deseaba; nos decían que nuestros intentos de «quererlo todo» hacían que nos sintiéramos frustradas y angustiadas física y anímicamente, pero esto es absurdo.

Para competir en un mundo dominado por hombres, las mujeres siempre hemos tenido que ser mucho mejores en nuestros puestos de trabajo pero cobrando un sueldo inferior. A pesar de lo mucho que los hombres creen conocernos, solo nosotras sabemos lo difícil que es ser mujer. El economista británico Herbert Spencer podría haberse referido a la fuerza silenciosa de las mujeres cuando acuñó la frase «la supervivencia de los más aptos». Pero ahora que hemos sobrevivido miles de años como ciudadanas de segunda clase, es el momento de prosperar en los negocios y en nuestras vidas. Y este libro puede ayudarnos a conseguirlo.

Verdades antiguas (pero eternas)

La sabiduría de Sun Tzu puede ser antigua, pero es eterna. *El arte de la guerra* se fundamenta en la filosofía taoísta, basada en la observación de las reglas existentes en la naturaleza. Tras estudiarla durante más de cinco mil años, los filósofos taoístas han creado una serie de principios que consideran que rigen a todo ser viviente, incluidos los seres humanos.

Dado que el maestro Sun basó su libro en principios universales, no sorprende que sus ideas puedan aplicarse a diversos aspectos de la vida, también al profesional. De hecho, me sorprende que hasta la fecha no se haya escrito un libro que enseñe a las mujeres a poner en práctica en su vida profesional y personal las estrategias que aparecen en él. No en vano, Sun Tzu creía que la mejor estrategia era la de vencer sin luchar, así que, ¿cómo no va a interesarnos a las mujeres?

Las estrategias que leerás en estas páginas encajan perfectamente con la gran fortaleza natural de las mujeres. Al vivir en un mundo dominado por hombres durante miles de años, hemos comprendido el valor de parecer más sumisas de lo que somos en realidad. Hemos aprendido a hacerles creer que tienen el control y a salirnos con la nuestra fingiendo que estamos de acuerdo con ellos.

Intuitivamente, las mujeres siempre hemos utilizado alguna de las estrategias de guerra del arte chino al negociar con esposos, amantes, hijos, jefes, amigos y clientes. Lo que no sabíamos es que, en realidad, éramos estrategas disfrazadas. Ya va siendo hora de que desarrollemos nuestras capacidades innatas y aprendamos a utilizar la gran variedad de estrategias y tácticas que aparecen en *El arte de la guerra*.

¿Por qué este libro en particular? Porque entre todos los tratados estratégicos antiguos (y muchos se escribieron en la antigua China) el de Sun Tzu, escrito en el año 512 a. C., es en la actualidad el más popular en el mundo de los negocios, y con razón: se puede adaptar perfectamente al medio laboral actual.

Puesto que estas lecciones tienen tanta fuerza, retrocedamos y veamos de dónde proviene esta sabiduría.

Conozcamos a Sun Tzu

Donde hay poder es probable que se encuentre Sun Tzu; en Wall Street, en el Capitolio, en las estanterías de los despachos más elegantes. Durante las sesiones del Congreso, los funcionarios (e incluso algún que otro congresista o senador) sacan la edición en rústica de *El arte de la guerra* y hojean las páginas preguntándose: «¿Qué estrategia voy a usar hoy?».

Pero aunque todas las afirmaciones de este libro parezcan pertinentes, pocos lectores encuentran la estrategia específica que cambie completamente la situación a su favor, y siempre acaban sintiéndose decepcionados.

Es una reacción normal. Un domingo por la mañana recibí una llamada telefónica desde Japón. Un coronel de los marines de Estados Unidos destinado allí me telefoneaba para decirme lo mucho que había disfrutado al leer *Thick Face, Black Heart*, uno de mis anteriores libros. De una cosa pasamos a otra y así fue sincerándose, abriéndose. Por fin, me confió: «Cuando eres oficial de los marines, estudiar a Sun Tzu forma parte de la formación. Si te digo la verdad, he leído *El arte de la guerra* muchas veces, pero sigo sin entenderlo del todo».

Esta es la queja que más he oído a clientes, amigos y lectores: no han sido capaces de asimilar, entender y aplicar *El arte de la guerra*, incluso después de haberlo leído muchas veces. Pero no se debe a una falta de intelecto, sino a que el maestro Sun no escribió *El arte de la guerra* para conseguir muchas ventas: lo hizo porque buscaba un empleo.

Cómo nace El arte de la guerra *de Sun Tzu*

Sun Tzu no era un militar cuando escribió su tratado. Aunque descendía de una familia china de tradición militar, era agricultor de profesión y filósofo autodidacta.

Dado que su abuelo fue un general militar, el maestro Sun disfrutaba del privilegio de tener pleno acceso a libros militares poco frecuentes. Lo que no es poca cosa puesto que antes de que existiesen el papel y la prensa, cada libro se realizaba a mano con bambú o tiras de madera. Como consecuencia, había pocos libros en circulación y los tratados militares (debido a su temática especializada) eran incluso más difíciles de encontrar. No resultaba extraño que quienes poseían un libro sobre el arte de la guerra (que es como se denominaban los libros sobre estrategia militar), salvaguardasen ese objeto casi sagrado con sus vidas.

La procedencia de Sun Tzu se puede ver claramente reflejada en *El arte de la guerra*. Sus tácticas surgen tanto de hazañas militares anteriores como del conocimiento de la naturaleza, algo muy comprensible en un agricultor. Sun dedicó mucho tiempo a buscar estrategias excepcionales en el mundo cotidiano que le rodeaba. Se fijó, por ejemplo, en cómo el agua cambia su curso cuando topa con un obstáculo y sin embargo todavía sigue teniendo la capacidad de erosionar con el tiempo lo que encuentra en su camino. O cómo un árbol de raíces profundas se quiebra bajo fuertes vientos, mientras que una frágil brizna de hierba solo se curva y sobrevive.

Además de sus conocimientos agrarios y del contacto con las estrategias militares, hay otro factor que hace que sea único. Alrededor del año 532 a. C., al final de su adolescencia, Sun Tzu escapó a Wu (al sur de la actual Shangai) con su padre, un guerrero que se rebeló contra la realeza gobernante. Allí se ocultó durante veinte años, y a lo largo de estas dos décadas vivió en su propia piel el sufrimiento y las experiencias diarias de la gente corriente y los desamparados, así que entendía el sufrimiento de la vida real.

No tuvo un profesor eminente ni provenía de una familia aristocrática o de renombre. Su sabiduría era el resultado de su gran poder de observación, sus estudios personales, los desafíos que afrontó y la contemplación del despliegue de la naturaleza y el mundo que le rodeaba.

De joven escribió el *Bing Fa* (*Bing* significa soldado, *Fa* destreza, que se ha traducido a lo largo de los siglos como *El arte de la guerra*) como un currículum vitae, con la esperanza de conseguir un trabajo de comandante militar del rey de Wu.

A pesar de su humilde procedencia, su objetivo no es tan extraño como puede parecer. El maestro Sun vivió durante el período de la guerra civil china que duró quinientos cincuenta años. A cualquier persona que proporcionase a monarcas y señores feudales estrategias que les asegurasen el dominio sobre sus rivales se le garantizaba empleo, sin que importaran sus humildes orígenes. Cualquier individuo que presentase tácticas que pudiesen ayudar al rey a conseguir sus objetivos pasaba, de la noche a la mañana, de ser un plebeyo a ser una celebridad.

Tentados por las promesas de fama, riqueza y gloria, se escribieron alrededor de dos mil libros de estrategia militar, entre ellos el de Sun Tzu.

El monarca de Wu, intrigado ante el libro, lo contrató como comandante militar y puso a prueba su estrategia. Durante una batalla, el maestro Sun derrotó con un ejército de solo veinte mil hombres al del reino de Zhou, formado por doscientos mil soldados.

En 1772, *El arte de la guerra* de Sun Tzu se tradujo al francés; está muy extendida la creencia que Napoleón leyó y aplicó muchas de las estrategias del maestro Sun. Durante la Operación Tormenta del Desierto (la primera guerra de Irak en los años 1990-1991), así como en la guerra de Irak, que comenzó en 2003, a los oficiales del cuerpo de marines de Estados Unidos se les entregaron ejemplares de *El arte de la guerra* como parte del equipo de batalla.

Sun Tzu quería que El arte de la guerra *resultase difícil*

La dificultad que el coronel de los marines (y muchos otros) tiene para entender lo que Sun Tzu intentaba decir tiene poco que ver con el lector y mucho con el propio autor.

En primer lugar, su intención nunca fue que el libro contase con muchos lectores. Teniendo en cuenta el lenguaje, la forma y la construcción de las frases, creo que en gran medida no escribió el libro solo para su jefe, sino también para él mismo, porque le preocupaba más comprenderlo él mismo que la prosa.

Los escritores saben bien por qué alguien puede adoptar este enfoque. Al anotar una idea obtienes un entendimiento más profundo e intenso de la misma. Plasmar tus observaciones en papel te permite recorrer el proceso de la reflexión y profundizar en su significado.

El hecho de que escribiese de forma tan enigmática y abstracta respalda la teoría de que intentaba que su trabajo solo pudiesen comprenderlo él (y su patrón). La historia cuenta que el soberano Wu no entendió del todo la esencia del libro, puesto que Sun fue rechazado en siete ocasiones antes de que el rey aceptara recibirle. Además, durante la entrevista le pidió que demostrase su arte de la guerra. Si el soberano hubiese entendido el poder del libro la primera vez que lo leyó, no habría rechazado en repetidas ocasiones contratarlo a pesar de la convencida recomendación del ministro de Asuntos Exteriores.

Sin embargo, creo que hay un segundo motivo por el que el texto original es tan difícil de entender. El maestro Sun pretendía deliberadamente que el libro fuese poco claro, para salvaguardar su conocimiento, de modo que una vez contratado, el rey se vería obligado a depender de él para interpretar el libro.

Con esta táctica obtenía tres beneficios. Primero, se aseguraba de conservar el empleo. El rey no podía simplemente leer *El arte de la guerra*, poner en práctica la estrategia y después despedirle (o ejecutarlo, que era lo habitual en la época). Necesitaba al autor para que le explicase exactamente cuál era el significado del texto y el mejor modo de ponerlo en práctica.

Segundo, al hacer que el texto fuese difícil de analizar, no tenía que preocuparse demasiado si perdía sus secretos, en caso de que el enemigo se hiciese con su manuscrito. (Una de las razones por las que el general George S. Patton fue capaz de derrotar en África al general Edwin Rommel en la Segunda Guerra Mundial fue que Patton tuvo acceso al libro de guerra de Rommel y conocía los movimientos que este realizaría en determinadas situaciones.)

Tercero, al mantener su sabiduría poco clara, se protegía de las amenazas de otros hombres de su propio ejército. La decisión de que todos sus conocimientos no fuesen totalmente accesibles recuerda al profesor de kung-fu, que nunca enseña su movimiento letal a sus alumnos. Si les mostrase todo lo que sabe, un día podrían usar esos movimientos para derrotarlo; su indiscreción podría acabar con su vida.

Si hubiese querido crear una escuela para enseñar o transmitir su sabiduría a las generaciones futuras, como hizo Confucio, habría proporcionado ejemplos precisos de cómo pretendía que se pusiesen en práctica esas estrategias. Sun Tzu se convirtió en una persona misteriosa e indispensable al no proporcionar ni ejemplos, ni anécdotas, ni referencias históricas suficientes para mostrar cómo aplicar su conocimiento.

De este modo, los intentos de entenderle han seguido desarrollándose y han mantenido tanto a occidentales como a chinos intrigados durante más de dos mil quinientos años.

Los eruditos han profundizado en la historia china para saber exactamente cómo aplicar la teoría de Sun Tzu y cada uno tiene su propia interpretación. Existen más de doscientas versiones en inglés del libro, que son más o menos traducciones y adaptaciones, y los eruditos chinos han escrito miles de versiones con comentarios, ejemplos e interpretaciones durante más de dos milenios en un intento de desentrañar su significado. Pero durante ese tiempo no ha habido ninguna versión de este trabajo escrita por una mujer: hasta ahora.

A lo largo del libro he incluido traducciones de extractos de *El arte de la guerra* que reconocerás por una tipografía distinta. Además, encontrarás recuadros que incluyen mis propias observaciones sobre la filosofía de Sun Tzu. También he dejado espacio para que puedas reflexionar sobre cómo adaptar estas estrategias. Este libro no solo enseña; también refleja como un espejo al revelarte quién eres, adónde vas y qué debes hacer para llegar a tus objetivos. Al mismo tiempo puede serte útil como anteproyecto de tu propio currículum vitae.

[illegible] para [illegible]

[illegible] de [illegible]

Los gestores [illegible]

[illegible] de la [illegible]

[illegible]

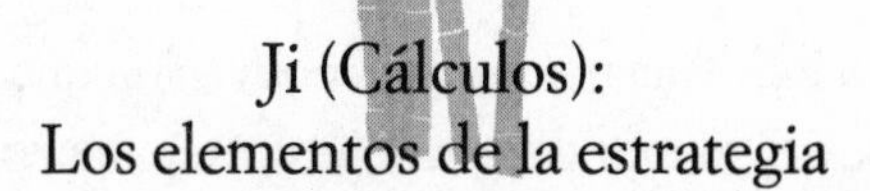

1

Ji (Cálculos): Los elementos de la estrategia

> La guerra se estructura en cinco factores que deben ser calculados y comparados con el fin de precisar el estado de fuerzas.
>
> Los cinco factores son: 1. Tao (la moral, la ética), 2. Tien (el tempo), 3. Di (el terreno o los recursos), 4. Jiang (el liderazgo) y 5. Fa (la disciplina).

El primer capítulo de *El arte de la guerra* de Sun Tzu contiene el mensaje esencial del libro e incluye todos los principios que se tratarán en los siguientes doce capítulos. Sun Tzu empieza el capítulo con una disquisición sobre el concepto *Ji*.* Ji tiene diversos significados: tramar, calcular, predecir, comparar y analizar. Todos estos elementos forman parte de la estrategia «prebélica»; es decir, son los pasos que debes seguir antes de llevar a cabo cualquier acción.

Una vez entiendas estas etapas de preparación de la vida, el resto de las estrategias del maestro Sun se converti-

* Para ser completamente precisa, algunas traducciones incluyen la palabra *shi*, que significa empezar o comenzar, antes de la palabra *ji*. El texto original solo usa la palabra *ji*.

rán en una segunda piel. Es por esta razón por la que realizo un examen en profundidad de su primer capítulo. Según Sun, hay cinco factores de los que depende el éxito y que tienen que entenderse en el momento de planear cualquier acción:

- TAO: La influencia moral y la motivación que impulsa tus acciones. Si tu moral es pura, tus compañeros seguirán tu causa hasta el final.
- TIEN: El tempo. Hay ciertos momentos en los que debes actuar, otros en los que es mejor esperar. El *Tien* te indica qué opción seguir.
- DI: «Tierra», «terreno» o «recursos». El *Di* hace referencia a los obstáculos que te encuentras en el camino hacia el éxito. ¿Te estás desplazando por terreno llano? Es decir, ¿va todo bien en el trabajo o cada tarea te supone un gran esfuerzo? El *Di* también incluye las distancias que tienes que recorrer para conseguir tu objetivo.
- JIANG: «El liderazgo». Sun Tzu considera que un líder debe ser sabio, confiado, benevolente, valiente y estricto.
- FA: «Método» o «cómo», lo que hoy llamaríamos gestionar. Tu «ejército» debe estar bien organizado, tener disciplina y ser responsable, y como líder debes ser fuerte y despiadada cuando quieras conseguir orden. (Fíjate que el maestro Sun recoge los elementos paradójicos del Tao y el Fa como parte de su pensamiento estratégico. Más adelante explicaré cómo puedes conseguir el equilibrio entre ambos.)

Cosas que has de tener en cuenta al practicar una estrategia

> Aquella que calcule sus estrategias cuidadosamente vencerá; aquella que lo haga con negligencia será derrotada.

1. *Ninguna de las estrategias en* El arte de la guerra *de Sun Tzu se sostiene por sí sola.* Todos los factores están interrelacionados; es decir, la estrategia no es unidimensional, sino multidimensional.

Desgraciadamente, los libros solo pueden tratar un tema a la vez, pero a medida que vayas leyendo observarás cómo las distintas piezas encajan. No te preocupes, te ayudaré.

2. *Juega con el poder de la paradoja.* La filosofía taoísta, en la que se basa *El arte de la guerra*, reconoce que el bien y el mal no son fuerzas opuestas. Los extremos no son absolutos, sino que están relacionados; conocemos la belleza porque hemos visto la fealdad y sabemos que alguien es bajo porque lo comparamos con alguien alto. En el taoísmo, en *El arte de la guerra*, no existen el bien y el mal, ni el blanco y el negro. Cada acción tiene su tiempo y su lugar, y la misma acción puede tener diferentes resultados si cambian los adversarios o alguna otra circunstancia. ¿Confundida? Bien. Este es el primer paso para entender el libro de Sun Tzu; hay que dejar de lado las realidades inequívocas y estar abierta a todo el espectro de colores de la paradoja y la ambigüedad. Este es el fundamento del arte de la guerra y del arte de la vida.

3. *No busques ni reglas ni coherencia. La única regla es que no existen reglas.* Las historias que narro para llevar *El arte de la*

guerra a la vida las incluyo para conseguir una mayor comprensión, no son una fórmula que deba seguirse. Los matices específicos de tu situación (tú, tu adversario, tu entorno, tu tempo) nunca serán exactamente los mismos que los de otra persona; por lo tanto, el resultado no puede ser el mismo. Solo con que cambie un factor, cambia toda la situación.

Tal como escribió Sun Tzu: «La victoria en el combate nunca es la misma, puesto que mis respuestas a las disposiciones enemigas son ilimitadas».

4. *La estrategia no supone que tu mente deba trabajar sin descanso.* Se trata de que entiendas tu lugar en el mundo que te rodea. Piensa en el agua que discurre río abajo hacia un lago o hacia el mar: existe un punto de llegada, pero el camino cambiará en función del terreno. La estrategia no consiste en reglas, sino en adaptarse.

Con esto a modo de recordatorio, vamos a sumergirnos a fondo en los cinco factores: Tao, Tien, Di, Jiang y Fa.

1.1. Tao (Rectitud): cómo adoptar decisiones ganadoras

La virtud es lo que permite la cohesión entre los superiores y las tropas, de modo que estas acuden a la vida como a la muerte sin temer el peligro para conseguir la victoria.

De las cinco estrategias que componen *El arte de la guerra* de Sun Tzu, el Tao es la más importante. No es accidental que el maestro Sun lo situase en primer lugar en su libro.

Tao se traduce como «camino, rectitud o moralidad», pero eso es solo el principio; podemos definirlo como la fuerza implícita en toda creación. Lao Tse, el filósofo taoísta más destacado, dice al describir lo que nosotros en Occidente llamaríamos Dios: «No sé cómo llamarla, la llamo "Tao"».

(Nota: En los antiguos escritos chinos todos los pronombres están implícitos. Por lo tanto, me he tomado la libertad de usar la forma femenina cuando resulta apropiado.)

Todas las cosas buenas, brillantes, correctas, creativas, innovadoras, extáticas, dulces y alegres tienen sus raíces en el Tao: el camino justo.

¿Cómo tomar las decisiones acertadas?

La pregunta que te estarás formulando a estas alturas es: ¿cómo puedo usar el Tao para triunfar en el trabajo? Es el lugar donde puede resultar tentador situar los triunfos a corto plazo por delante de hacer lo correcto, pero siempre es un error, y a menudo se volverá en nuestra contra.

Cuando uno trabaja contra el Tao, le espera un destino doloroso. Como dijo el gran filósofo chino Mung Tzu: «El Tao siempre está con los justos». Cuanto más Tao poseamos, más felices seremos y más éxito tendremos.

La siguiente lista puede ayudarte a decidir lo correcto.

El Tao de tomar decisiones

1. *Pregúntate: «¿Cuán apropiado es mi objetivo?»*. Toda acción que realices puede medirse en una escala que va desde el bien hasta el mal. Antes de tomar una decisión debes preguntarte qué es lo que te motiva. Por ejemplo, puede que codicies un ascenso, pero desear únicamente un buen cargo o determinado despacho no es ni deja de ser coherente con el Tao, solo es un deseo.

Asegúrate de que sabes por qué quieres el ascenso. ¿Es por el aumento de sueldo? ¿Por un mayor reconocimiento? ¿Para restregárselo por las narices a las compañeras con quienes has competido?

Todas estas opciones pueden ser fuerzas motivadoras; es incluso posible que te proporcionen el impulso que te ayude a ascender en la empresa. Pero, a no ser que disfrutes realizando tu nuevo trabajo, la derrota está asegurada. Por ejemplo, en muchas empresas el puesto de director de ventas tiene más prestigio que el de comercial. No obstante, si no te gusta ni tener personal a tu cargo ni realizar tareas administrativas y prefieres tratar con los clientes, ese ascenso te condenaría al fracaso.

Si no tienes un buen objetivo, al final sufrirás. Cuando haces lo correcto por razones justas, te espera un resultado favorable.

Este es un ejemplo de justicia. Cuando Joann* abandonó una empresa considerada entre las cien mejores por la revista *Fortune* para entrar en una compañía de nueva creación, dejó atrás un plan de jubilación de un millón de dólares. Pero como me explicaba: «Era lo que tenía que hacer. Cambié un millón de dólares por un sueño».

En un principio, el sueño suponía trabajar más horas por bastante menos dinero, menos suplementos y sin opciones sobre las acciones de la empresa. Y a diferencia de la seguridad que le ofrecía su anterior compañía, no había garantías de que la nueva sociedad tuviese éxito a largo plazo.

En la actualidad, la nueva firma está considerada una de las empresas mejor gestionadas y de mayor crecimiento en el mundo, y gracias a las opciones de compra de acciones que le concedieron poco después de empezar en reconocimiento a la gran labor que había realizado, ahora su fortuna es superior a diez millones de dólares.

En el mundo de los negocios de hoy en día, en el que todo cambia con tanta rapidez, nunca tendrás suficiente información para tomar una decisión «segura» que te garantice totalmente que es la decisión correcta. Si dudas, te hago una pregunta sencilla: ¿es la forma adecuada de actuar?

El Tao siempre te guía hacia la victoria, aunque en ocasiones el buen resultado puede tardar un tiempo en llegar.

2. La segunda pregunta que debes hacerte antes de tomar

* A lo largo del libro uso nombres ficticios y camuflo algunos detalles en los ejemplos que expongo para proteger la intimidad de las personas implicadas. «Joann», en realidad, no necesita dicha protección, aunque sí otras mujeres que menciono. Los ejemplos son reales.

una decisión es: *¿es el ego lo que me impulsa a ello?* Un ego muy grande contiene la semilla de la autodestrucción.

Alice, heredera de la fortuna familiar, ocupó el lugar de directora general en el banco de la familia cuando aún no tenía cuarenta años. Para decirlo en pocas palabras, era un desastre. Convencida de que sabía más que nadie, no escuchaba las opiniones del personal directivo, que no estaba de acuerdo con ella.

«Yo he crecido en este negocio» era su habitual respuesta cuando alguien cuestionaba sus decisiones.

Es más, parecía que se preocupaba más de las ventajas de su cargo, que incluía chófer y cocinera, que de realizar su trabajo.

«Asegúrate de que saben quién soy», le decía a su secretaria cada vez que la enviaba a hacer un recado.

Quizá por eso no es extraño que llevase su compañía a la ruina. El banco fue absorbido por uno mucho mayor por un valor muy inferior al que tenía cuando Alice ocupó el puesto de directora general.

Después de haber fracasado en el negocio familiar, a Alice le ofrecieron la oportunidad de dirigir una fábrica de papel (un viejo amigo de su padre intercedió en su favor). En vez de estar agradecida, le dijo al presidente del consejo de administración que iba a contratarla que no aceptaría el puesto de trabajo a no ser que pusieran a su disposición un coche y un chófer. A pesar de haber llevado el negocio familiar a la ruina, no se daba cuenta de que su arrogancia era su mayor enemiga.

Alice debería haber aceptado el puesto y haber trabajado duro para su nuevo jefe y para los accionistas. De este modo, habría demostrado que su fracaso inicial había sido un error y que era una verdadera mujer de negocios competente.

3. *¿Me muevo por pura codicia?* Si solo lo haces por el dinero fracasarás. Como dijo Confucio: «Una persona extraordinaria entiende de justicia, mientras que un ser inepto solo entiende de beneficios». Cuando el objetivo pasa de ayudar a los demás a la codicia, observarás que tus acciones no siguen el camino del Tao y el fracaso será inevitable. Aquí tienes un ejemplo:

Gloria era la directora general de un hotel de cinco estrellas en Asia que tenía un vestíbulo con un suelo de mármol maravilloso, lo suficientemente grande como para que cupiera una pista de patinaje. Había una zona con sofás, mesas y sillas donde los clientes del hotel podían esperar y recibir a sus invitados. El vestíbulo siempre estaba lleno de personas y el negocio iba bien.

Aunque el hotel ya disponía de una gran cafetería, la dirección aprovechó un proyecto de remodelación para convertir el vestíbulo en dos salones para tomar café y eliminó la sala de espera. Si los clientes querían sentarse tenían que consumir, y el café costaba nueve dólares. Para repetir había que pagar otros nueve dólares; además, mientras los clientes saboreaban su café, los camareros les presionaban constantemente para que pidiesen aperitivos o dulces. Un encuentro informal de trabajo de cuatro personas, con propina incluida, costaba fácilmente más de cien dólares.

Era obvio que Gloria decidió eliminar el vestíbulo por una sola razón: la codicia. El motivo era evidente: maximizar los ingresos. Pero no tuvo en mente el bienestar de sus clientes.

La rentabilidad es el objetivo de todo negocio. Sin embargo, los beneficios a corto plazo pueden ser un fracaso a largo plazo.

Aun siendo amiga de Gloria y clienta habitual de su hotel —me alojaba en él entre cuarenta y sesenta noches al año—, me molestó el cambio y decidí no hospedarme más allí. No soportaba un lugar en el que no permitiesen que mis invitados se sentasen conmigo en el vestíbulo sin pagar un peaje.

Por lo visto, no era la única a quien no le gustaba ser rehén de una directora avariciosa. Tres años después de que Gloria pusiera en práctica su política de «asiento con peaje», el hotel cerró uno de sus dos salones y creó de nuevo una zona en la que las personas pudieran sentarse y conversar. Como es lógico, el negocio ha mejorado.

4. *¿Estoy desesperada?* Si estás deprimida, desanimada o desesperada, es imposible que surjan ideas y estrategias exitosas. Si tienes ansiedad es mejor no hacer nada hasta que desaparezca, de manera que broten de nuevo la armonía, la esperanza y el optimismo (las características del Tao). Cuando oigas que tu mente dice: «Quiero. Quiero. Deseo tener», detente. Date un respiro y míralo desde la distancia. Finge que tu vida y tu trabajo pertenecen a otra persona y tu ansiedad se desvanecerá. Cuanto más actúes por desesperación, más lejos estará el éxito.

5. *¿A quién ayudarás y quién sufrirá daños?* Cuanto más ayudes y menos daño hagas, mayor será tu éxito.

Algunas grandes empresas utilizan todos sus recursos para lograr que sus clientes acepten contratos injustos en los que la letra pequeña solo se puede leer con microscopio.

No obstante, con el tiempo los clientes reaccionan, se dan cuenta de qué empresa quiere estafarles y cuál quiere ayudarles de verdad. Intentar «cazar» a personas para aprovecharse de ellas hará que al final el cliente se marche. El único camino legítimo hacia el éxito es proporcionar a tus semejantes un servicio sincero y útil.

La siguiente historia sobre un ejecutivo taiwanés lo ilustra perfectamente. Wun Yu Chen (el presidente ahora retirado de Known-You Seed Co. Ltd., inventor de la marca de tomates cherry Santa, la sandía sin pepitas y otras casi doscientas clases de sandía) amasó su fortuna entre los años sesenta y ochenta con la empresa asentada en Taiwan.

En 1990, el gobierno de Tailandia se dirigió a él para que produjese semillas de vegetales y frutas en la zona pobre del norte del país, y accedió.

«Acepté la propuesta porque quería que los tailandeses mejorasen sus condiciones de vida —me dijo el señor Chen—. Invertí en el proyecto pensando "Si gano dinero, perfecto", pero si lo pierdo tampoco pasa nada.»

La finalidad no era tener más beneficios, sino disminuir el sufrimiento de la humanidad. Pero como su forma de hacer negocios siguió el Tao, la idea fue muy lucrativa.

Durante los últimos quince años, los tifones han azotado Taiwan en repetidas ocasiones y han acabado con sus cultivos en la zona.

«Sin la operación de Tailandia, habríamos quebrado», afirma el señor Chen. En cambio, su empresa consiguió un beneficio sustancioso. Al intentar sacar a los tailandeses de la pobreza se salvó a sí mismo.

6. *¿Cuál es el Tao de mi trabajo?* El Tao, en lo que respecta a tu trabajo, es darlo absolutamente todo en cada momento. Piensa en tu nómina como en un acuerdo para respaldar a tu empresa.

Siempre que menciono esta frase en una reunión formada por mujeres, me preguntan innumerables «pero ¿y si...?». Os expongo los más comunes:

Pero ¿y si mi jefe es un idiota? ¿Tengo que entregarle igualmente el cien por cien?

Puede que tu jefe no sea como a ti te gustaría que fuese, pero precisamente por ello puede que te necesite incluso más.

Pero ¿y si no soporto mi trabajo?

Si no te gusta tu trabajo ni tu empresa, márchate. (Aunque primero consigue otro empleo; siempre es más fácil encontrar otro trabajo si ya tienes uno.)

Si decides quedarte, no tienes derecho a sabotear a la compañía con tus constantes muestras de descontento. Si no sabes cómo resolver el problema del que te quejas, es mejor que estés callada.

Pero ¿y si no estoy de acuerdo con la ética de mi empresa?

Márchate. No estás obligada a colaborar con prácticas poco éticas. Pero si sigues aceptando su sueldo, estás apoyando explícitamente la forma en que tu compañía lleva los negocios.

La decisión correcta, siempre

Es natural querer ascender rápido y que te paguen más dinero, pero eso no significa que debas dar la espalda a tu código ético.

Aunque nunca seremos capaces de protegernos totalmente

ante una catástrofe inesperada, sí que podemos salvaguardarnos de nuestros propios errores. Tener ética y actuar en armonía con el Tao es la base para la carrera de cualquier mujer y la póliza de seguros que nos protege de tomar atajos potencialmente perjudiciales. (Porque los atajos no existen. Detrás de «un éxito repentino», hay años de duro trabajo.)

Si unes con convicción tus objetivos con el Tao, siempre tomarás la decisión correcta. Puede que no consigas un éxito instantáneo, pero cuando llegues a la cima podrás mirar atrás y sentirte orgullosa de tus acciones.

1.2. Tien (El tempo): del tempo universal al personal

El sol da días largos y cortos, la luna crece y mengua.

Existen dos clases de tempo: uno es el personal, el control sobre si adoptas una decisión o realizas un movimiento. Trataremos esta cuestión más adelante. El otro es el universal y se produce cuando todas las fuerzas de la naturaleza convergen en una dirección. Ni tú ni yo podemos manipularlas, pero sí que podemos aprovecharlas.

Estar sincronizada con el tempo universal es como correr con el viento a favor. Te proporciona una ventaja: la velocidad, y esta te da poder. Cuando estás de acuerdo con una idea a la que le ha llegado el momento, eres imparable. La buena noticia es que cuanto más progresemos las mujeres en este nuevo milenio, más poderosas seremos.

Dónde estábamos y dónde estamos

La historia la escriben los vencedores. Y no cabe duda de que en la «guerra» entre hombres y mujeres han sido ellos (hasta la fecha) quienes han triunfado. Por ello se ha tenido a las mujeres en tan poca consideración a largo de la historia.

Pero hoy en día, después de más de cinco mil años de desigualdad, por fin avanzamos hacia la igualdad entre ambos sexos. De modo que no es sorprendente que los logros de las mujeres, los pasados y los presentes, estén teniendo más repercusión; es el camino del Tao. Como dijo Lao Tse: «El universo, con el yin y el yang en su seno, infunde a ambas fuerzas la misma energía. Y así se crea la armonía».

Sun Tzu lo entendió de la misma manera:

> El cielo se corresponde al yin y el yang, y se manifiesta como la alternancia del calor y el frío y la rotación de las cuatro estaciones.

Con el inicio del nuevo milenio, empieza una nueva era. Nos alejamos de la historia del hombre para dirigirnos hacia la historia de la mujer.

1.3. Di (Recursos): convierte tus defectos en virtudes

> La topografía comprende la cercanía o lejanía del terreno, su peligro o seguridad, su amplitud o estrechez. Estas características determinan tus posibilidades de vivir o morir.

Aunque el término *di* significa «tierra», Sun Tzu usa este concepto de forma más amplia para incluir diversos tipos de terrenos, entre los que se encuentran las llanuras, las montañas, los ríos y los pantanos.

En el campo de batalla una general no solo debe tener presente a sus oponentes, sino también el terreno en que tendrá lugar la contienda. El campo de batalla presentará siempre ventajas y desventajas.

Como aspectos positivos, puede haber cuevas en las que refugiarse y desfiladeros para preparar una emboscada perfecta. Pero también es posible que la general se encuentre con un río justo delante y montañas a sus espaldas, lo que dificulta el avance de las tropas.

Ninguna general puede cambiar el terreno que la rodea, por mucho que este se interponga en el camino a la victoria, pero puede entenderlo y aprender a sacar el mejor partido de lo que escapa a su control.

En el trabajo funciona del mismo modo. No importa si tu jefe, compañeros, empleados o clientes te quieren, o si trabajas para un jefe que se atribuye el mérito de tus resultados o una compañía que rara vez promociona a los trabajadores. No puedes cambiar tu empresa (por lo menos de inmediato), pero sí puedes encontrar una forma de utilizar la cultura de tu compañía en tu beneficio. La clave radica en que te conozcas a ti misma, que es precisamente lo que este libro pretende enseñarte.

Convierte tus «defectos» en virtudes

La primera y más importante parte de terreno que debes tener en cuenta se halla dentro de tu cabeza. Si no dedicas tiempo a pensar de verdad en tus puntos fuertes y tus puntos débiles, no puedes empezar a tratar eficazmente el terreno externo al que te enfrentas.

La calidad de tus relaciones con compañeros, jefes, empleados y clientes (y con tu carrera en general) depende de lo bien que utilices tus recursos: ya sean las virtudes o los defectos.

Como decía Sun Tzu, el Di determina si vivirás o morirás. En el campo de batalla un río no es ni positivo ni negativo; todo dependerá de cómo lo use la general en el transcurso de un combate. Lo mismo sucede con tus características personales. Ningún atributo es totalmente positivo o negativo; todo depende de lo que hagas con las cartas que te han repartido.

La vida de cada individuo está influida por cierto número de debilidades. Incluso los supuestos defectos pueden convertirse en armas secretas para ganar.

Hablemos de cómo podemos conseguirlo.

Convierte tus defectos en virtudes

1. *Conócete a ti misma.* Es posible competir en un mundo de hombres y que te guste ser mujer. Puede agradarte que un compañero te abra la puerta y no sentir que tu poder ha disminuido. O quizá te encuentres más cómoda abriéndosela a él. Tú decides, y no tienes que pensar que debes actuar de una

manera u otra porque eso es lo que se espera de ti. Si eres competitiva pero elegante y eficiente pero afable, confundirás, fascinarás y sorprenderás a tus compañeros y jefes.

Sean cuales sean tus cualidades (agresiva o distinguida, elegante o informal, colaboradora o competitiva), no temas utilizarlas.

REFLEXIÓN

Antes de continuar, dedica algo de tiempo a anotar y a pensar en tus cualidades. (Consejo: puede ayudarte un amigo/amiga o compañero/compañera en quien confíes.)

____

____

____

____

____

2. *Se es lo que se ha vivido.* Toda experiencia vivida, buena o mala, ayuda a formar quién somos; se aprovecha todo. Oprah Winfrey es un ejemplo perfecto. Su extraordinario éxito como presentadora de un programa y empresaria de los medios de comunicación procede directamente de las vivencias que ha tenido. Como narra Merrell Noden en *Oprah Winfrey* (People Profiles, Time, Inc.), Winfrey nació en la pobreza, vivió rodeada de intolerancia y se quedó embarazada (pero perdió al bebé) cuando tenía catorce años. Las experiencias que vivió a temprana edad le aportaron sensibilidad y aumentaron su capacidad para relacionarse con los demás. Se es lo que se ha vivido.

3. *Encuentra un nuevo enfoque.* No importa quién eres ni qué producto o servicio ofreces; debes ser la primera en llevar a cabo estrategias descabelladas y originales.

Esto es particularmente útil cuando te encuentras en desventaja. La reacción habitual cuando estás en una posición de inferioridad es intentar parecer más fuerte de lo que en realidad eres. Lo contrario de lo que hizo Golda Meir, la ex primera ministra de Israel, tal como muestra una escena en el premiado docudrama *Golda*: con la necesidad desesperada de que Estados Unidos abasteciera a su país de armas y material bélico tras el fin de la guerra de los Seis Días en 1967, recibió en su casa a los miembros del comité de las fuerzas armadas del Congreso de Estados Unidos.

Meir tenía muchas cosas en su contra:

1. Era la primera ministra de un país pequeño.
2. Era mayor.
3. Sus vecinos musulmanes amenazaban constantemente su país.

En lugar de darse aires, Meir sirvió a la delegación de congresistas té y pastel casero, e insistió para que repitiesen dos y tres veces, como haría una abuelita judía.

Al actuar como una anfitriona anciana y atenta en lugar de como primera ministra, conquistó a sus invitados y consiguió que los miembros del comité aceptasen su petición.

Después de todo, ¿cómo puede alguien negarle a una abuelita unos cuantos aviones y misiles?

En lugar de esperar a que alguien abra un nuevo camino o

una nueva manera de hacer las cosas hazlo tú misma; te aseguro que te compensará. Pero sé prudente, no lo hagas solo por ser diferente. Hagas lo que hagas tiene que ser una extensión natural de tu personalidad, porque de lo contrario no cabe duda de que se volverá en tu contra.

Como decía Sun Tzu:

> En la contienda, utiliza lo regular en el momento del enfrentamiento y recurre a lo extraordinario para alcanzar la victoria.

4. *Entiende que tus supuestos defectos pueden ser tus virtudes*. Nuestros problemas empiezan en cómo los definimos. En cualquier ámbito cultural, la mayoría establece qué es un defecto, pero lo que en una cultura se considera un punto débil en otra es un punto fuerte.

Voy a poner un ejemplo personal. Muchos asiáticos me han dicho: «Hemos oído que Estados Unidos es un país donde se discrimina a los asiáticos y a las mujeres, así que te enfrentas a dos obstáculos. ¿Cómo afrontas la situación?».

Mi respuesta es: «Ser asiática ha resultado ser mi fuerza, no mi debilidad. Si fuese un hombre rubio, tuviese ojos azules y hubiese estudiado en los mismos centros que el resto, no sabría cómo diferenciarme. Es difícil competir con personas que son idénticas a ti. Ser diferente me da ventaja».

Por supuesto, si fuese un hombre rubio y tuviese los ojos azules, tendría que descubrir qué me hace destacar. Cada persona tiene algo; ser diferente no es un defecto, al contrario, te hace única.

5. *Cambia tus circunstancias para que tus defectos se conviertan en tus puntos fuertes.* No tiene sentido intentar que un pingüino se adapte al desierto. Si descubres que tu trabajo te exige ser creativa, pero tú prefieres las tareas analíticas antes que buscar ideas revolucionarias quizá tengas que replantearte tu carrera. Aunque eso no quiere decir que no puedas prosperar en un ambiente de trabajo creativo. Quizá tu capacidad de sacar tareas adelante pueda ayudar al equipo a acabar proyectos que de otro modo serían interminables. Pero si no puedes integrar tus cualidades en tu trabajo actual, quizá sea el momento de ir desempolvando tu currículum.

Si llegas a ser contable, arquitecta o ingeniera logística, tus «defectos» en tu anterior profesión se transformarán al instante en virtudes. Después de todo, y en los tiempos que corren, ninguna empresa quiere a una contable creativa.

Convertir nuestros puntos débiles en puntos fuertes puede conseguirse dentro de un amplio abanico de posibilidades.

---

6. *Al otro lado de tus puntos fuertes se encuentran los débiles.*

El universo contiene cinco elementos: agua, fuego, madera, metal y tierra.

El agua puede conquistar el fuego, la madera y el metal. Pero la tierra puede conquistar el agua.

El mismo principio vale para el fuego, la madera, el metal y la tierra. En la fuerza de cada elemento reside su debilidad.

Así como las desventajas pueden convertirse en ventajas, también puede suceder lo contrario.

Tal como escribió Sun Tzu:

> El desorden nace del orden, la cobardía del valor,
> la debilidad de la fortaleza.

Si tus puntos fuertes son la empatía y la compasión, puedes tener un problema de debilidad o ineptitud cuando se trata de aplicar la disciplina a tu personal. Si eres obstinada y rápida en la toma de decisiones, puede que también seas intolerante e inflexible. Si estás muy segura de ti misma, puedes parecer arrogante.

Permíteme un ejemplo de lo que he explicado. A Jessica, una joven que trabaja en los medios de comunicación, siempre la han elogiado por su capacidad de llevarse bien con todo el mundo y por anteponer las necesidades de sus compañeros a las suyas propias. Pero ahora se está dando cuenta de que su altruismo ha tenido un precio: ha dedicado tanto tiempo a ayudar a los demás que no ha realizado los pasos pertinentes para avanzar en su carrera.

Tiene dos opciones: puede continuar complaciendo a todo el mundo (y seguir infravalorada profesionalmente) o puede dar un paso determinante para conseguir que su carrera empiece a despegar. La decisión está en sus manos.

Debes estar orgullosa de tus puntos fuertes (llevarse bien con todo el mundo es una buena cualidad); pero no olvides que pueden volverse en tu contra.

Las definiciones de «puntos fuertes» y «puntos débiles» no son unidimensionales. Debemos tener presentes nuestros atributos personales y experiencias vividas y utilizarlos para conseguir volver del revés nuestros defectos y virtudes.

Para ser una general fuerte tienes que aprender a usar cualquier terreno geográfico a tu favor. Para ser una mujer fuerte debes fijarte en lo que los demás han etiquetado como tus defectos; puedes encontrar armas poderosas en ellos.

REFLEXIÓN

Haz una lista de tus puntos fuertes y tus puntos débiles. Desafía a tu mente a que los utilice de forma distinta a como siempre los has usado. Por ejemplo, quizá tiendes a soñar despierta en el trabajo. Ahora, ejercita tu cabeza para convertir esos defectos en virtudes. Con un poco de dedicación y paciencia puedes conseguir que tus sueños se hagan realidad, e incluso que sean una fuente de ingresos.

PUNTOS FUERTES	PUNTOS DÉBILES

1.4. JIANG (LIDERAZGO): UN ESTADO MENTAL

El mando es una cuestión de conocimiento, de credibilidad, de humanidad, de resolución y de severidad.

El liderazgo real (*Jiang*) no tiene que ver con tu categoría laboral, sino con tu actitud. Las mujeres rara vez nos vemos como líderes, pero todas hemos adoptado ese papel en algún momento aunque nunca hayamos ocupado un alto cargo, incluso aunque jamás hayamos trabajado en una empresa.

Al crecer, quizá hayas tenido que cuidar a tus hermanos; en la actualidad posiblemente dirijas un grupo en tu parroquia, una asociación de padres de alumnos o una organización benéfica. A menudo no vemos estas tareas como una expresión de liderazgo, las vemos como situaciones cotidianas; pero en realidad lo son.

Una mujer de veintitantos años escuchó mis palabras en una conferencia y levantó la mano durante la sesión de preguntas y respuestas.

«Haces que parezca fácil —dijo—, pero yo no me siento cómoda mandando. No creo que haya tenido nada a mi cargo en toda mi vida.»

Pero resultó que sí lo había tenido. Después de la conferencia tomamos un café y me contó un incidente que le había sucedido durante unas vacaciones recientes: ella y su novio quedaron atrapados en un restaurante de la playa sin poder regresar al centro.

«Llamé a un taxi y me dijeron que en un minuto llegaría uno, pero una hora después continuábamos esperando —me contó—. Cerca, había autobuses lanzadera que llevaban a los pasajeros a sus hoteles, pero se negaban a salir a no ser que el autobús estuviese lleno y aun contándonos a nosotros éramos demasiado pocos.

»Después de esperar quince minutos más, caí en la cuenta de que algo fallaba. Me levanté y fui preguntando a la gente que se hallaba en el restaurante si alguien más estaba esperando un taxi; resultó que había treinta personas esperándolo. Les expliqué cómo funcionaba el autobús lanzadera y conseguí que todos subieran a él. En quince minutos estábamos en el centro.»

«Ves —le dije—, en eso consiste. No esperaste a que alguien te diese permiso, lo hiciste porque sabías que no se hace nada a menos que haya un líder.»

El hecho de que la mayoría de las personas no se vean como tal significa que tú tienes más oportunidades. Si queremos que el siglo XXI sea el siglo de las mujeres, no podemos esperar a que nos llamen «líderes». Debemos representar con naturalidad ese papel. Cuando te encuentres en una situación que lo requiera, toma las riendas.

No te sientes y esperes como hizo esta vicepresidenta: Robin había trabajado siempre en el negocio de las relaciones públicas y a los cuarenta y siete años era vicepresidenta de comunicación en una empresa que se hallaba entre las cien mejores según la revista *Fortune*. Pero sentía poco respeto por el hombre de quien dependía, el jefe de marketing. Era perezoso y dedicaba la mayor parte del día a contentar al director general, en lugar de intentar pensar qué era lo mejor para la empresa.

Robin enviaba memorandos a su jefe, que este ni siquiera leía. En ellos resumía las nuevas campañas de marketing y nuevas zonas donde la compañía podía crecer. Ella era consciente de que podía hacer un mejor trabajo, siempre y cuando se lo permitiesen.

Cuando su jefe murió de un repentino ataque al corazón, Robin pensó que el director general la promocionaría, pero seis meses después la plaza continuaba vacante. En lugar de desempeñar las funciones de su jefe (lo que por supuesto habría aumentado su visibilidad) o contar directamente sus planes al director general, simplemente se dedicó a dirigir el departamento de comunicaciones lo mejor que sabía, esperando que al final alguien le brindaría la oportunidad de dirigir todo el departamento de marketing.

Cuando, un año después, nombraron a un nuevo jefe de marketing, todo lo que Robin hizo fue quejarse a sus amigos de qué injustos habían sido con ella. No se dio cuenta de que había echado a perder la oportunidad de ascender y empezar a ser líder.

La manera de liderar es simplemente liderando.

Qué no es el liderazgo

El liderazgo no tiene nada que ver con la fuerza bruta sino con la fuerza interior y la dirección; no es una conducta sino un estado. Podemos ser tiernas líderes en casa y jefas firmes en el trabajo. Cualquier persona que tenga empatía y sea comprensiva, que pueda ganarse la confianza de las personas que tiene a su cargo y pueda proponer una dirección, es una buena líder.

1.5. Fa (Gestión): se trata de la actuación

> El ejército debe estar bien organizado y llevar a cabo las órdenes sin duda, debe ser disciplinado en su desempeño y responsabilidades según la jerarquía, dominar el abastecimiento de recursos materiales y controlar sus gastos.

En gran parte, el resto del libro está dedicado a Fa, disciplina o gestión. Hablaremos de cómo puedes dirigir a tu personal, cómo puedes manejar las relaciones con tu jefe e incluso de cómo puedes gestionar las interacciones con tus compañeros.

Pero antes de continuar centrémonos en la parte de gestión que hay que llevar a cabo antes de intentar todas las anteriores. ¿Cómo gestionarás la relación entre tu trabajo y tu vida personal?

Tradicionalmente, la discusión acerca del equilibrio entre lo laboral y lo personal siempre parece reducirse a la idea de «tenerlo todo». Las mujeres podemos tenerlo todo, de lo contrario, si hacemos caso de los medios de comunicación, nos estamos perdiendo algo. Pero en realidad no se trata de «tenerlo todo», tienes que hacer lo que haga que te sientas bien. Si te sientes más realizada siendo una alta ejecutiva, no serás feliz centrando la mayor parte de tu energía en la familia. En cambio, si lo que de verdad deseas es estar en casa con tu familia, nunca te sentirás satisfecha en el trabajo. Debes ser sincera contigo misma.

Aunque es posible quererlo (y tenerlo) todo; lo importante es que reconozcas que «tenerlo todo» no significa lo mismo para todo el mundo.

REFLEXIÓN

Haz una lista de las diez cosas que más deseas en la vida, las que crees que te harían realmente feliz y con las que te sentirías realizada. A medida que vayas leyendo el libro tenlas presentes. No olvides que este es el motivo por el que estás trabajando.

____

____

____

____

____

____

____

____

____

____

____

____

____

____

1.6. Engaño: muéstrate débil cuando seas fuerte

La esencia de la guerra es el engaño.

El engaño es el último punto esencial en el primer capítulo de *El arte de la guerra.* Trata de parecer débil cuando te sientes fuerte, cercana cuando estás lejos y crea situaciones en las que acentúes los peores rasgos de tu enemigo para vencerlo.

A lo largo del libro veremos ejemplos de lo expuesto, pero de momento vamos a tratar algunas de las formas de utilizar el engaño.

1. *Si un compañero o compañera te tiene envidia*, muéstrate menos amenazadora de lo que en realidad eres para evitar la agresión y salvaguardar tu trabajo. Pon por caso que tú y una compañera, la hija de un cliente importante, estáis interesadas por el mismo puesto.

Quizá ella tenga enchufe pero está claro que tú estás más preparada. En este caso no debe parecer que le haces sombra; no hagas ostentación de tus brillantes ideas en las reuniones a las que asistáis las dos; te las podría robar. Guarda tus cualidades para cuando estés en una reunión cara a cara con tu jefe. Recuerda que a ella no tienes que demostrarle nada.

2. *No alardees.* Deja que los demás descubran quién eres; no tienes que esforzarte en hacerte notar. Trabaja duro en tu tarea y lo notarán. Opina solo cuando la ocasión lo requiera. Si realmente eres tan inteligente como crees que eres, tus cualidades destacarán. No te estoy aconsejando que te quedes callada; si

tienes ideas brillantes imponte, pero hazlo en el momento y del modo oportunos. Debes ser profesional; no presumas o muestres qué inteligente eres. Consigue el apoyo de las personas adecuadas antes de exponer tus ideas a toda la organización, de lo contrario, es poco probable que tengas muchas más oportunidades.

3. *Ten cuidado con las ideas radicales.* Si tu idea es revolucionaria, procede con precaución.

En general, las personas y las organizaciones tienen miedo al riesgo. Antes de presentar una idea arriesgada pregúntate: ¿es mi jefe conservador? ¿Lo es mi empresa? Si es así, tal vez tengas que esperar a tener un nuevo jefe o a que la compañía tenga problemas o a que todo el mercado cambie para que tu idea revolucionaria sea aceptada. Si propones tu idea a la persona equivocada o en un momento inoportuno puede que sea rechazada, simplemente porque las personas tienen miedo a los cambios. Entérate de quién en tu organización está a favor de la innovación. Después de todo, las empresas que cambian al ritmo de los tiempos se dan a conocer.

Piensa en uno de los recién llegados de más éxito en el sector de la banca actual, Washington Mutual. En lugar de seguir el tradicional modelo bancario conservador, con interiores formales y majestuosos, Washington Mutual ha establecido nuevas sucursales tan atractivas y cómodas como las cafeterías de Starbucks. Las oficinas tienen una zona para que los niños jueguen, y para atraer a los clientes jóvenes ofrecen dinero en efectivo y regalos para incentivar a abrir cuentas nuevas. Todo esto va en contra de la forma tradicional de trabajar de la banca, pero el momento iba a favor de Washington Mutual. Los bancos necesitaban un cambio desesperadamente y este dio el paso en el momento apropiado.

4. *No finjas ser tonto.* Existe una diferencia cultural entre China y Occidente. En China se da por sentado que eres más inteligente de lo que aparentas ser, por lo que intentan ver qué hay detrás de la fachada, tus cualidades ocultas. En Occidente, el jefe o jefa prototípico no irá tan lejos. Si aparentas no ser inteligente, pensará que no lo eres y una vez tenga esta opinión de ti, será muy difícil que la cambie.

5. *Si todavía tienes mucho que aprender, mantén la boca cerrada.* Si rara vez hablas, no sabrán cuán inexperta eres. (Y como sucede en China, ¡algunas personas pensarán que sabes más de lo que parece!)

6. *El engaño tiene dos naturalezas: una es ofensiva, la otra defensiva.* Los cinco primeros puntos tratan sobre cómo puedes utilizar el engaño ofensivamente, cómo puedes engañar sutilmente a la gente acerca de tu fuerza real. Pero también necesitas saber cómo tratar a quienes intentan engañarte. Es decir, cuidado con el lobo con piel de oveja.

Saber qué mostrar

Como he dicho al principio, la filosofía del maestro Sun es holística.

Su opinión sobre el engaño es un ejemplo claro. Tienes que entender quién eres, lo inteligente o agresiva que eres, igual que quiénes son tus compañeros y competidores. Si sabes lo que tienes entre manos, sabes hasta dónde puedes mostrar.

2

En la batalla: Victoria rápida

Existe un antiguo proverbio chino que Sun Tzu probablemente conocía y que dice: *Shang chang ru zhan chang*. Traducido literalmente significa «El mercado es un campo de batalla», y explica cómo los chinos entienden la competencia en los negocios: el éxito de una empresa influye en la supervivencia y el bienestar de sus empleados y accionistas, así como el resultado de una batalla determina el destino de una nación.

En el terreno personal, todos luchamos por un mejor puesto de trabajo. Sin embargo, no hay espacio suficiente para todos aquellos que quieren estar en la parte superior de la pirámide.

A las mujeres no nos basta con pedir igualdad profesional, no podemos decir: «Soy mujer y por lo tanto merezco ser tratada de la misma manera». Tanto si eres hombre como mujer, necesitas ganarte el respeto. Y no hay nada que llame más la atención que conseguir que la empresa obtenga beneficios. Solo cuando consigas ganancias dignas de una reina serás tratada como tal.

Este capítulo trata de cómo ganar tu sustento. Como descubrirás, Sun Tzu proporciona una estrategia orientada hacia los resultados y la rentabilidad para ganar en el campo de batalla con el mínimo esfuerzo posible.

2.1. ALIMÉNTATE DE TU ADVERSARIO

> La experta estratega no dependerá del transporte de víveres a larga distancia desde su país.

Lo que quiere decir el maestro Sun es que así como el país de origen suministra el equipo militar del ejército, los alimentos de las tropas deberían obtenerse de los almacenes del enemigo. Transportar provisiones a través de una larga distancia cuesta dinero, lo que afecta directamente a las personas de la nación con el aumento de impuestos, el agotamiento de la riqueza, etc.

¿Cómo aplicamos este principio? El maestro Sun está hablando de la importancia de tener recursos. No basta con ir a la oficina todos los días y poner buena cara. Si quieres conservar tu puesto de trabajo, y más aún, si buscas un ascenso necesitas obtener resultados. Voy a explicar cómo conseguirlo.

1. «*Tu interés personal.*» Tu empresa tiene que proporcionarte todas las herramientas y formación necesarias para que ganes la batalla del mercado. No obstante, depende de ti usarlas adecuadamente. Para ser claros, necesitas producir más ingresos de los que recibes de tu compañía.

Pocas personas empiezan en una posición en la que desde el principio generan dinero. Si trabajas en un puesto de apoyo o eres una ayudante, tu Tao es trabajar con efectividad; si le das a tu jefe más de lo que te están pagando al final serás recompensada. No existe mejor manera de avanzar en tu carrera profesional. Hace poco, una joven mujer de éxito me contó que se daba cuenta de que había llegado al momento más importante de su carrera porque de repente no estaba tan preocupada por su cargo o por su salario; empezó a pensar en ganar dinero para la empresa. Sabía que su éxito estaba directamente relacionado con el «interés de la compañía».

Si recuerdas esta frase, siempre serás valiosa; si no, tus jefes encontrarán a otra persona que lo sea.

2. *Mantente a ti y a los demás.* Tal como dice el proverbio chino: «La naturaleza de la guerra es la batalla del dinero». Es decir, hacer la guerra cuesta mucho dinero. Dirigir una empresa también cuesta mucho dinero. Si esperas mejorar en tu trabajo, no debes olvidarlo.

En tu escritorio, además de la fotografía de tus hijos, pareja o marido, pon una foto de toda la gente de tu departamento, incluso una en que aparezca toda la plantilla. También trabajas para ellos.

3. *Recompensa los resultados.* Esto es algo que Sun Tzu comprendió muy bien.

> Para incitar la captura de bienes enemigos utiliza las recompensas. Cuando en el transcurso del combate se capturen diez cuadrigas rivales, se recompensará al primero en lograrlo para levantar la moral.

Comparte generosamente con quienes trabajan contigo. A los trabajadores que hagan grandes aportaciones al beneficio financiero de la empresa, prémialos con recompensas monetarias, bonificaciones, ascensos y honores. Si no lo haces, lo hará otra persona.

Michelle trabajaba para una empresa internacional de contabilidad, y estaba destinada en París. Era creativa, dinámica y muy trabajadora, el tipo de empleada que toda empresa desea tener. En el último año fiscal, consiguió varios acuerdos internacionales importantes e hizo que su compañía ganase veinte millones de dólares. Por su extraordinario rendimiento, recibió solamente dos mil dólares de bonificación. Abandonó el trabajo y ahora dirige su propia empresa, que el año pasado ingresó cien millones de dólares brutos.

Si estás empezando tu carrera profesional, quizá no puedas dejar tu trabajo para fundar una empresa que te proporcione cien millones de dólares. Sin embargo, con el tiempo se darán cuenta de tu talento, si no es tu jefe serán otros. Pero recuerda, si es posible busca siempre un nuevo empleo antes de abandonar el anterior.

Para asegurar tu supervivencia, recompensa generosamente a aquellos que obtengan resultados.

Si no premias abundantemente a quienes rinden más, lo más probable es que acabes creando tu propia competencia. Si tus jefes no retribuyen tu buen rendimiento, conviértete en la competencia.

4. *Primero véndete a ti misma.* Este es el modo en que el maestro Sun expresaba este concepto:

Resultará vencedora quien disponga de un soberano que no interfiera en los asuntos militares.

Para llevar a cabo una guerra eficaz, una general necesita libertad para tomar sus propias decisiones en el campo de batalla, en lugar de tener que escuchar las órdenes de quienes están en la lejanía.

Del mismo modo, puedes estar segura de que la única manera de que tu superior (tu jefe o jefa) te dé carta blanca para que realices un trabajo magnífico es que le convenzas de que estás capacitada. Si no te has ganado su confianza trabajando a un gran nivel, tu jefe no te ayudará; al contrario, te dificultará la labor.

No importa cuáles sean tus funciones o tu cargo, primero debes saber venderte. Hasta que no convenzas al mundo de que eres capaz de realizar grandes cosas, no esperes que te den mucha responsabilidad.

(La mayoría de la gente no se da cuenta de que es más fácil venderse a sí misma que promocionar un producto o una idea. Normalmente, tienes poco control sobre el producto o servicio que vendes o el proyecto en el que trabajas. A menudo es el resultado del esfuerzo de un equipo o lo creó un grupo de personas que no conoces. No obstante, tienes el control absoluto sobre tu vida.)

Cómo te muestres afecta a todos los aspectos de tu vida: desde conseguir un trabajo hasta realizar una venta, desde disfrutar de una relación hasta ganarte el respeto y el amor de tus hijos.

Si no has hecho un esfuerzo para mejorar física o mentalmente emprendiendo las acciones correctas y teniendo los pensamientos adecuados, se notará. Te resultará difícil venderte e incluso más complicado promocionar tu producto. Las personas hacen negocios con quienes les caen bien y en quienes confían.

Compartir el botín

Conviértete en imprescindible aportando proyectos, clientes e ideas que otros no son capaces de presentar. ¿Cómo puede alguien en la oficina, o en cualquier otro lugar, ponerse en tu contra cuando su supervivencia depende de ti?

REFLEXIÓN

En el último capítulo has elaborado una lista de tus rasgos personales. Piensa de nuevo en ellos, pero en esta ocasión explica cómo los usarías para promocionarte. ¿Cómo puedes utilizar tu talento para obtener clientes o ideas que otros en tu empresa no pueden conseguir? ¿Cómo puedes usarlos para generar beneficios reales a tu empresa?

2.2. Cierra el acuerdo rápido

Es imprescindible que el ejército procure una victoria rápida y no una guerra prolongada.

Una victoria militar que acaba con todos los recursos no es del todo una victoria. Como tampoco lo es invertir años en conseguir un trabajo precario o la firma de un contrato que no te hará feliz. Es decir, no solo quieres ganar la batalla, sino que pretendes asegurarte de que la lucha vale la pena.

Hazte valer ante tu jefe

Cuanto más rápidamente cierres los acuerdos, más valiosa serás para tu jefe o jefa. Todas las empresas quieren nuevas fuentes de ingresos que entren lo antes posible, por lo que recompensan a los empleados que lo consiguen.

Helen, una ejecutiva de ventas de una empresa de alta tecnología situada en la bahía de San Francisco, era muy buena creando nuevos proyectos y estableciendo contactos desde Tokio hasta Londres. Pero su jefe, Terry, observó que cuando se aproximaba el momento de cerrar el acuerdo, Helen dejaba el contrato en su escritorio durante semanas (en ocasiones incluso lo olvidaba) mientras ponía en marcha otros proyectos.

Terry le recordó que cada vez que andaba tras una nueva idea, la empresa se gastaba mucho dinero en llamadas internacionales, además del tiempo y el trabajo que requería. Todo lo que Helen tenía que hacer para que el tiempo y la energía que dedicaba a crear nuevos proyectos valiese la pena era concluir el trabajo. Sin embargo, descuidaba los contratos que estaban encima de su escritorio, contratos que habrían hecho que la empresa ganase dinero de inmediato.

Esa conversación obligó a Helen a aprender algo sobre sí misma. Le gustaba librar la batalla (buscar clientes y satisfacerlos antes de que lo hiciese la competencia) mucho más que realizar las tareas administrativas que eran necesarias para que el acuerdo se llevase a cabo. Al darse cuenta, convenció a su jefe para que contratase a alguien que hiciese el trabajo administrativo. Helen llegó a convertirse en una gran productora de resultados en su sector.

El Tao de cerrar el acuerdo

1. *Conoce tu producto.* Debes valorar honestamente las ventajas y desventajas de tu producto, para poder responder a cualquier pregunta que te planteen. Por ejemplo, si vendes propiedades inmobiliarias no solo tienes que conocer la casa que estás vendiendo, sino que también necesitas tener información sobre la zona donde está emplazada y sobre el estado actual del mercado.

2. *Conoce a tu cliente.* ¿Qué necesita? Siguiendo con el caso de la inmobiliaria, ¿está decidido o decidida a comprar

una casa o está iniciando el proceso de búsqueda? Las parejas que tienen niños buscan zonas donde haya buenas escuelas; los compradores jóvenes pueden estar más interesados en si la zona está de moda; y los inversores querrán saber si los precios en el barrio están subiendo o bajando.

3. *¿Encaja tu producto con las necesidades del cliente?* ¿Existe algún modo de que encaje, tanto si a simple vista lo parece como si no? Por ejemplo, ¿se puede añadir una cuarta habitación si es lo que quiere el comprador, o puede una de las habitaciones convertirse en un despacho?

4. *Intenta cerrar el acuerdo simplemente preguntando.* Si a los posibles compradores potenciales les ha gustado la casa, pregúntales si están dispuestos a hacer una oferta.

5. *Resuelve los problemas de los clientes.* Es la manera más fácil de cerrar el acuerdo. Avon no vende una crema hidratante más, vende un producto que hará que te sientas más feliz porque te ayudará a parecer más joven y más atractiva. O como el profesor de la Escuela de Negocios de Harvard, Ted Levitt, aconsejó a sus estudiantes: «No estás vendiendo una broca para hacer agujeros de cuatro milímetros, estás vendiendo agujeros de cuatro milímetros».

El ejemplo que he dado procede del mundo de las ventas, pero no es el único campo en el que pueden ser útiles estas lecciones. No importa cuál sea tu negocio; estás vendiendo algo y tienes algún tipo de cliente. La clave de toda operación comercial se basa en saber qué tienes y qué es lo que las personas necesitan.

Lo que funciona en los negocios funciona en la vida

Por supuesto, esta lección no se aplica solamente a los negocios.

El principio cierra-el-acuerdo-rápidamente puede hacerse extensivo a tu vida personal. Si has estado saliendo con alguien durante mucho tiempo pero la relación no avanza, y tú quieres que lo haga, necesitas agilizar el cierre como harías en una operación comercial.

Primero, determina por qué no has sido capaz de cerrar el acuerdo. Los motivos por los que la relación está estancada pueden ser muchos; por ejemplo, la otra parte:

a) Puede que alguien le hiriese en el pasado.
b) Puede considerar que la relación es perfecta tal como está.
c) Puede que no crea en el matrimonio (al menos no en el matrimonio contigo).
d) Puede que no esté preparado.

Si incluso después de haberlo hablado observas que no hay esperanza de cerrar el acuerdo, tienes que dejarlo.

En los negocios, igual que en tu vida personal, es importante cerrar los acuerdos que puedas y desechar los que no sean posibles. Mientras te preocupas por aquellos en los que no hay esperanza de concluir, pierdes otras oportunidades.

REFLEXIÓN

Aunque no seas una comercial, en tu trabajo necesitas cerrar acuerdos. Tanto da si se trata de que alguien te devuelva las llamadas telefónicas, de hacer el seguimiento de los proyectos que estás desarrollando, o de concluir alguna tarea pendiente. ¿Qué gestiones estás intentando ultimar en la actualidad? ¿Hay algo que puedas hacer para agilizar el proceso? ¿Qué cualidad singular posees que te permita hacerlo? ¿Qué busca tu cliente o clienta y cómo puedes ofrecérselo?

3

Estrategia: Conócete a ti misma y a los demás

En el campo de batalla empresarial tu adversario puede ser una persona (un contrincante en tu propia empresa, quizá) o cientos de miles (como los empleados de una empresa competidora). Pero no importa el número, en el combate solo hay dos bandos: tú y ellos.

Por supuesto, quieres saber lo que el otro bando va a hacer. Si va a atacar, debes estar preparada para defenderte; si va a introducir un producto nuevo, necesitas contrarrestarlo con otro.

Pero antes de hacer todo esto necesitas dar un gran paso previo. Para entender a tu adversario debes conocerte a ti misma. ¿Por qué? Porque filtras la información acerca de los demás a través de tu propia lente, que está empañada por tus pensamientos y experiencias. A lo largo de este capítulo verás ejemplos de cómo funciona este proceso, ya sea positiva o negativamente.

Tal como dice Lao Tse, en cuya filosofía se basa la estrategia de Sun Tzu: «Conocer a los demás es sabiduría; conocerse a uno mismo es iluminación».

Si no te conoces a ti misma, toda la información que tengas

sobre los demás la interpretarás mal; estará distorsionada y posiblemente será incompleta, con lo que estarás en desventaja una vez comience la batalla.

Hay dos razones más por las que necesitas conocerte antes de intentar entender a los demás.

Lo bien que conoces el mundo que te rodea es directamente proporcional a lo bien que te conoces a ti misma.

En primer lugar, como ya he explicado, la filosofía del maestro Sun es holística: según su punto de vista, todas las acciones en el universo están conectadas. Dado que todo surge de la misma fuente, conocerse a sí misma aumenta el conocimiento sobre los demás.

Segundo, cuando estás familiarizada con tus defectos (si te irritas con facilidad, eres propensa a los celos, eres muy insegura, tienes miedo a fracasar), eres más comprensiva cuando los ves en los demás.

Estas características son las que nos definen como seres humanos. De hecho, puesto que son tan comunes, la próxima vez que hables con alguien intenta leer en su expresión facial cuál es su estado emocional, de manera que puedas actuar como corresponde. Es probable que antes de que él o ella hablen sepas cómo se sienten. ¿Por qué? Porque tú has experimentado las mismas emociones.

3.1. Cinco pasos para conocerte a ti misma y a los demás

> Quien conoce al enemigo y se conoce a sí misma disputa cien combates sin peligro. Quien conoce al enemigo pero no se conoce a sí misma vence una vez y pierde otra. Quien no conoce al enemigo ni se conoce a sí misma es derrotada en todas las ocasiones.

En el actual mundo de los negocios, los «enemigos» de los que habla Sun Tzu incluyen a tu jefe, empleados, proveedores, clientes, distribuidores, consejo directivo, inversores, competidores, y todo aquel que intervenga en tu actividad laboral.

En tu vida personal incluyen a tu marido o compañero, hijos, padres, familiares y amigos.

Aunque no importa con quién estés tratando, si no conoces las interacciones que tienes con los demás nunca serán completas. Los defectos pueden ser grandes o pequeños, pero puedo asegurarte que si no los percibes, todas tus interacciones serán incompletas. Sin autoconciencia, tratar con otras personas es como tirar al blanco en la oscuridad.

¿Cómo puedes no conocerte? ¡Es sencillo!

A primera vista, la idea de no conocerse resulta ridícula, pero lo más probable es que no te conozcas. No estamos hablando de lo superficial, cómo llevas el cabello o qué música te gusta. El «yo real» al que me refiero es el que habla de cómo reaccionas ante situaciones difíciles, de qué te preocupa y de cómo ves el mundo (las cosas que te ayudan o te hieren en tu vida personal y profesional).

Si no conoces tu «yo real» estás destinada a incurrir siempre en los mismos errores, por lo que pronto te encontrarás clasificada como «víctima profesional». Sabes a qué clase de personas me refiero, ¿verdad? Las que dicen: «¿Por qué la ha tomado conmigo el mundo?», sin cuestionarse su propio comportamiento.

Annette es una agente financiera que recauda dinero para proyectos cinematográficos. Es una mentirosa crónica, pero ella no se tiene por tal, ni tan siquiera cree que sea una mentirosa. Para ella, utilizar falsedades es una manera inteligente de actuar.

Si te promete diez cosas, como mucho conseguirás una. Con respecto al resto, funciona como una novelista brillante: inventa historias muy complicadas para justificar por qué no hace lo que promete. Nunca dirá que simplemente no ha cumplido su palabra.

Por supuesto, la solución más fácil para una persona así es no comprometerse a hacer tantas cosas. Pero como Annette no es consciente de su tendencia a la falsedad, nunca se plantea esta idea. Como consecuencia, continúa mintiendo para justificar por qué no ha hecho algo, y siempre se asombra cuando las personas que la han tratado alguna vez no vuelven a confiar en ella. Como agente financiera, sus palabras no se las puede llevar el viento. Debe ser honesta con lo que puede y no puede hacer. Después de trabajar un año con ella uno de mis clientes se fue pensando que era una estafadora. Yo no creo que sea cierto, considero que tiende a abarcar más de lo que puede, pero hasta que no adopte otra dinámica de trabajo sus socios continuarán teniendo una visión negativa de ella.

¿Saben las mujeres conocerse a sí mismas?

Según mi experiencia las mujeres son más sensibles que los hombres, más intuitivas y reconocen mejor los defectos de los demás (¡sobre todo en sus cónyuges!). Sin embargo, cuando se trata de conocernos a nosotras mismas no siempre estamos a la altura.

No es que los hombres sean mucho mejores. De hecho, la mayoría de nosotros, hombres o mujeres, tenemos carencias en ese aspecto. No es sorprendente; durante años nos hemos dedicado a la escritura, a la lectura y a la aritmética, pero no nos han enseñado a conocernos a nosotras mismas. Sin embargo, conocerte a ti misma es esencial para tu eficiencia en las relaciones profesionales y personales; es el momento de aprender.

Permíteme que use un ejemplo extremo. Si una comercial que no se conoce a sí misma es rechazada constantemente puede pensar que hay algo malo en ella. Por supuesto esto es absurdo, el rechazo forma parte de las ventas. Si una buena comercial escucha veinte negativas en un día no tira la toalla, se dice a sí misma: «¡De acuerdo, cerraré la venta con el cliente número veintiuno!».

Pero si no entiendes que los clientes que te dan un no por respuesta no te están rechazando personalmente, si no distingues entre el rechazo de un amigo y el de los clientes, siempre te sentirás herida en el trabajo.

Conocerse a sí misma facilita vivir el día a día; estás más preparada para interpretar los acontecimientos y a los demás. Tienes más capacidad para separar los problemas reales de los creados por tu imaginación. Te ayuda a entender que las personas rechazan tu producto porque no lo necesitan, no porque seas mala persona.

En la escuela, la mayoría de nosotras queríamos desesperadamente ser populares, pero pocas de nosotras lo conseguíamos. Como consecuencia, nos sentíamos rechazadas y heridas. Si un cliente nos da un no por respuesta, puede que volvamos a sentirnos como entonces. Pero aunque el sentimiento sea el mismo, la causa es totalmente distinta. Los chicos pueden ser crueles sin motivo. Quizá un cliente no está interesado en los bombones de tu empresa porque está a dieta.

Sabemos racionalmente que un cliente que rechaza el producto que le ofrecemos no nos está rechazando como persona. Entenderlo emocionalmente es diferente. Si te analizas y reconoces por qué esta situación provoca en ti un profundo sentimiento de rechazo y dolor, es más fácil tratar la situación.

Miran sin ver

Un buen hombre o mujer de negocios sabe lo que desea un cliente, aunque el cliente no sepa expresarlo. Una madre comprensiva puede sentir que algo le sucede a su niño. Una mujer considerada puede detectar si su compañero ha tenido un buen día en el trabajo. No siempre tienes que esperar que los demás te digan lo que necesitan; a menudo no pueden decírtelo, o no lo saben porque no están en contacto con sus sentimientos.

Pero ¿cómo puedes saber lo que necesita tu cliente, compañero o esposo si no sabes lo que tú necesitas? No puedes pensar en guiar a otros si no sabes cómo guiarte a ti misma, y no lo lograrás hasta que te conozcas.

Los cinco siguientes pasos pueden ayudarte a conocerte mejor.

1. *Es necesario sentir un gran deseo de conocerte a ti misma.* La mayoría de las personas, hombres y mujeres, no reconocen la necesidad de analizarse hasta que les sucede algo terrible. Estas duras lecciones son llamadas de atención. Una vez haya desaparecido la tormenta, si tienes suerte empezarás a ver que necesitas comprender qué hay oculto en tu persona.

Aquí tienes un ejemplo. Una conocida mía, Maryann, se moría de ganas por perder peso y estar en forma. Se matriculó en un gimnasio, empezó a hacer ejercicio y a comer bien, y después de tres o cuatro días se sentía mejor. En ese momento dejó de hacer ejercicio y se regaló una calórica y copiosa comida con su amigo Joe, seguida de una película con su amiga Abby.

Maryann pensaba que quería tener una vida mejor, pero no se daba cuenta de lo atada que estaba a sus viejas pautas de conducta. Encontrarse bien hacía que no se sintiese cómoda, lo que le hacía volver al patrón anterior.

A menos que Maryann lo entienda de verdad, nada cambiará.

2. *Sé tu propio detective*. Puedes ser tu propio detective y comprender cuál es tu verdadero yo. Así es como lo consiguió Maryann.

En cuanto se detuvo a pensar cómo se estaba comportando, empezó a ver un patrón. Joe no era el responsable de que ella hubiese abandonado la dieta cuando le propuso ir a cenar. Ni Abby era culpable por invitarla a ir al cine a la misma hora que tenía su clase de aeróbic. Maryann no había contraído el suficiente compromiso con sus nuevos hábitos como para mantener los anteriores alejados.

Si constantemente haces cosas que traicionan tus metas, necesitas averiguar por qué. ¿A quién deseas complacer? ¿Cuáles son los posibles motivos o los incidentes del pasado que hacen que actúes de ese modo? Por ejemplo, si de pequeña te decían que tenías que ser amable con todo el mundo, quizá traiciones tus intereses por quedar bien con otras personas. Esta misma cualidad puede esclavizarte durante toda la vida. Puede ponerse de manifiesto en forma de timidez cuando hay que dar órdenes, imponer disciplina a tu personal o tomar una decisión sobre qué proyecto elegir.

¿Con qué frecuencia tienes un debate interno entre tus emociones y la lógica que suena más o menos así: «Sí, se supone que tengo que hacerlo... pero no me siento cómoda haciéndolo»? ¿Con qué frecuencia has analizado la procedencia del conflicto? Si la respuesta es «raras veces» o «nunca», hay que empezar de inmediato.

Dada la importancia que tiene conocerse, ¿por qué no lo intentan más personas? La respuesta es que mucha gente, por lo menos inconscientemente, no quiere saber. Tienen miedo de lo que pueden averiguar. Después de todo, ¿quién quiere saber que es insegura y tiene necesidad de agradar a los demás?

Pero necesitamos comprendernos, incluso nuestras imperfecciones, si queremos entender a los demás. Ser tu propio detective puede ayudarte a estar centrada. Todas tenemos días en los que las cosas nos salen bien. También necesitamos parar y reflexionar por qué todo está funcionando. La ignorancia no es sinónimo de felicidad; es peligrosa. Así como necesitamos descubrir nuestros miedos y defectos si queremos vencerlos, también podemos aprender cuáles son las cosas que nos hacen ser fabulosas.

Piensa como si tu mente fuese un detective en constante vigilancia. Si te observas lo suficiente, se mostrará tu naturaleza más oculta. Y esto me lleva al siguiente punto.

3. *Sumérgete en tu persona.* Existe un estado de conocimiento fundamental en el interior de cada una de nosotras. Solo tenemos que encontrarlo.

En una ocasión, mientras estaba de vacaciones en Florida, me enfadé con una amiga porque había puesto pimienta en la pizza que compartíamos. Estaba tan ofendida por ese insignificante acto que me marché del restaurante. Incluso mientras me comportaba de esa manera, sabía que mi enfado no tenía nada que ver con la pizza, porque ni siquiera tenía hambre. Necesitaba encontrar qué era lo que me preocupaba, así que me tendí en un banco en el jardín del restaurante, observé el estrellado cielo invernal y reflexioné.

Me llevó una hora, pero al final encontré la respuesta. Acababa de empezar un importante proyecto que todo el mundo decía que sería fantástico para mi carrera. Nunca me había sentido cómoda trabajando para ese cliente, pero me convencí a mí misma de que debía aceptar el trabajo.

Mientras estaba echada en el banco observando el cielo, me di cuenta de que me había enfadado porque en mi interior sabía que ese proyecto no era lo que quería. Cuando me abrí a mi guía interior, se desvaneció toda la ira; me sentí en paz y segura.

La próxima vez que te enfades por algo trivial, busca un lugar tranquilo donde puedas pensar qué es realmente lo que te preocupa. Actuar de este modo no solo te proporcionará una visión interior de ti, también te permitirá aprovechar la sabiduría que posees y que te era desconocida. Este tipo de reflexión silenciosa es la manera más rápida de penetrar en el lugar donde habitan la paz, el conocimiento y la intuición.

4. *Mírate con los ojos de otra persona.* A menudo los demás nos ven mejor de lo que nos vemos nosotras mismas. Busca a alguien que te conozca bien, alguien que verdaderamente se preocupe por ti y pregúntale cómo te ve. Pero ten cuidado a quién le pides que sea tu espejo: si está roto, la imagen estará distorsionada. El siguiente es un ejemplo de cómo este enfoque puede funcionar bien si le pides a un verdadero amigo que sea tu espejo.

Cuando Denise, directora general de una empresa que se encuentra entre las quinientas mejores según la revista *Fortune*, se divorció de su primer marido, un director de otra empresa, dijo que la separación se debía a que lo último que deseaba después de trabajar todo el día era hablar de trabajo. Cuando su segundo matrimonio fracasó (en esta ocasión él era poeta), dijo que se debía a que su marido la quería todas las noches en casa, y ella tenía que trabajar hasta tarde y viajar con frecuencia.

Cuando Denise se quejó de sus ex maridos a su amiga de la infancia, Jan, esta le contestó: «Sabes cómo ganar millones para tu empresa y para ti, pero cuando se trata de tus parejas no tienes ni idea. No sabes lo que quieres en un hombre, ni siquiera sabes si deseas uno».

¿Cuál fue la reacción de Denise? «¡No puedo creerlo, tienes razón! ¡Es obvio, cómo he podido estar tan ciega!» Estaba tan ocupada culpando a sus ex maridos que nunca se había parado a pensar en sus defectos como esposa.

Es de gran ayuda tener a un amigo que actúe de espejo y que te haga ver tu yo real. Este tipo de mentor o compañero es indispensable en el trabajo. Intenta preguntarle a alguien en quien confías qué opina de tu forma de trabajar. ¿Qué admira en ti? ¿Tiene algún consejo para que mejores tu manera de trabajar? Sus respuestas pueden sorprenderte.

5. *Sé actriz y directora.* Vive como si fueses la actriz y directora de *Tu vida, la película.* Me refiero a lo siguiente: si una actriz no actúa bien en los ensayos, el director parará la escena y discutirá cómo mejorar la interpretación; a continuación repetirán la escena. La historia de Lisa nos muestra que puedes enfocarlo del mismo modo.

Lisa es una directora de proyectos que dispone de un presupuesto de un millón de dólares. Planifica las presentaciones minuciosamente y las ensaya hasta que se sabe su papel de carrerilla. Pero cada vez que presenta la exposición, tartamudea. Lisa, la actriz, tenía un problema.

Recurrió a su director interior para saber por qué. Vio que la raíz de su miedo a hablar en público se debía al gran deseo que tenía de impresionar a su jefe. Quería desesperadamente que la viese como una estrella reluciente a quien promocionar. El director le dijo que no pensara en impresionarlo: «Concéntrate solo en comunicar la información con la mayor claridad posible».

Durante la siguiente presentación intentó no obsesionarse con la reacción de su jefe, pero no funcionó porque seguía sin saber «cómo no preocuparse». Su mente le decía que no se angustiase, pero no podía evitar preocuparse. Además de estar orgullosa de la información que presentaba, quería desesperadamente que se lo reconocieran.

Tras más discusiones con su director, empezó a imaginar que su próxima exposición sería la última. Se convenció a sí misma de que abandonaría la empresa por un trabajo mucho mejor, así que la reacción a su presentación (la última que haría ante su jefe) no le preocupaba.

Esta estrategia le fue de maravilla; la utilizó las siguientes ocasiones en que hizo una presentación y al poco tiempo la ascendieron.

El miedo de Lisa es muy común. ¿Cuántas de nosotras damos un traspié en nuestro trabajo porque estamos pendientes de lo próximo que va a suceder?

¡Vive cada día de trabajo como si fuese el último, y te sorprenderá cómo te concentras y la confianza que tienes en ti misma!

Se trata de lo bien que te conoces a ti misma y a los demás

Conocerte es un compromiso para toda la vida, y es decisivo. Cómo conoces el mundo que te rodea está directamente relacionado con lo bien que te conoces a ti misma.

3.2. Para promocionarte crea un currículum vitae innovador

> La buena estratega somete las fuerzas enemigas sin combatirlas, toma las fortificaciones enemigas sin atacarlas, desmiembra los reinos rivales sin permitir que las acciones militares se prolonguen.

Tal como he dicho antes, los negocios son la guerra y nuestros competidores son los adversarios. Dado el número y las posibilidades de nuestros enemigos, no podemos luchar con todos cara a cara, sería agotador. Por lo tanto, necesitamos ser mejor estrategas y más astutas que ellos cuando sea posible. Con un poco de suerte seremos lo bastante listas para que se den por vencidos sin luchar. Una forma de conseguirlo es creando un currículum inteligente.

Así lo entendió Sun Tzu. No olvides que escribió *El arte de la guerra* a modo de currículum vitae para conseguir un trabajo con el soberano de Wu. Sus palabras fueron audaces y seguras: «El general que comprenda mis cálculos y los aplique vencerá: continuaré sirviéndole; el general que no los comprenda y no los aplique será derrotado: es preciso deshacerse de él».

El maestro Sun intentó parecer muy importante en su currículum, y lo consiguió. El mismo enfoque te puede funcionar a ti. Si sabes qué te hace original, puedes crear estrategias para obtener éxitos y aventajar a los demás.

Tu currículum tiene que incluir todos los conocimientos, sabidurías, aspiraciones, la visión y los logros que muestren realmente quién eres. No estoy hablando de un currículum tradicional de una o dos páginas. ¿Cómo puedes ser original si tu presentación es igual que la del resto?

El de una o dos páginas está bien y puedes necesitarlo para determinadas entrevistas, pero no estoy hablando de un trozo de papel para enseñárselo a posibles jefes, me refiero a lo que acompañará a ese trozo de papel.

«Mi currículum»

En 1987, trabajaba de consultora independiente en Portland, Oregón. Uno de mis principales clientes, el estado de Oregón, estaba buscando la manera de ayudar a las empresas a que vendiesen sus productos en China. Estaba muy contenta de realizar ese trabajo, hasta que designaron a una persona con menos experiencia que yo para que supervisara las relaciones entre Oregón y China. Para mi desgracia, parecía como si él disfrutase viendo cómo me hundía. Todas las noches llegaba a casa llorando.

Pero como la vida me ha enseñado, si te hieren lo suficiente al final aprendes. De repente reaccioné: ¿por qué luchaba tan duro para mantener mi posición de pez grande en un estanque tan pequeño? Si era tan buena como creía, debía probar en el océano.

Como no podía dedicar sesenta horas a explicar a cada posible cliente cómo hacer negocios con China (nadie pagaría tal cantidad de horas), tenía más sentido escribir un libro sobre la cuestión y utilizarlo como mi currículum. (Quizá había copiado inconscientemente el planteamiento de Sun Tzu.)

No tenía ni idea de cómo crearlo, pero pensé que la mejor manera de empezar era escribiendo, y así fue. Como resultado apareció mi primer libro, *The Chinese Mind Game*, que edité yo misma.

Tenía pensado enviarlo a posibles clientes, pero antes de hacerlo me dirigí a varias publicaciones y les pedí que lo reseñaran. (¡No te vanaglories cuando puede hacerlo alguien por ti!) Tuve suerte. El libro recibió una crítica muy favorable del *San Francisco Chronicle* y posteriormente del *Financial Times* británico. De pronto me llamaron empresas de todo el mundo solicitando ejemplares del libro y pidiéndome ayuda. Los agentes literarios llamaban a mi puerta; uno de ellos vendió el libro a una importante editorial de Nueva York y así empezó mi carrera de escritora.

Un currículum vitae diferente requiere un análisis profundo

Crear un currículum diferente precisa examinar con detenimiento tu alma (los primeros capítulos deberían haberte ayudado a ello) para saber qué es lo que te hace especial. ¿Qué aptitudes posees que hacen que destaques? ¿Qué sabes que no sepan los demás?

Solo tú conoces cuáles son estas aptitudes, y tú las tienes. Nadie ve el mundo exactamente como tú. Incluso si tienes veinticuatro años y has estado trabajando dos años de secretaria, tienes aptitudes. Puedes decírselo a un futuro jefe, tal como hizo una joven: «Hago el café más rápido que usted jamás haya visto». Su sentido del humor, y el hecho de que se enorgulleciese de realizar las tareas que se le habían asignado, aunque fueran de poca importancia, le ayudó a conseguir un trabajo mejor.

Una vez has identificado los rasgos, aptitudes y características que hacen que seas única, apúntalas en forma de memoria, informe o libro, si ese es el espacio que necesitas. Tienes que escribirlo por dos razones:

1. Nadie puede ver lo que hay en tu interior.
2. Nadie permanecerá cuarenta horas sentado a tu lado escuchando tus grandes ideas.

Ese es el motivo por el que tienes que mostrárselo. Crea una carpeta de proyectos anteriores para presentarlos en una entrevista de trabajo; si es posible, muestra ejemplos de tu trabajo. Sé precisa sobre lo que has hecho con anterioridad en lugar de usar palabras tan utilizadas como «enérgica», «competente» y «muy competente». Aprende a contar historias sobre tu persona y tus logros. ¡Véndete!

Todo se basa en crear un currículum innovador

No hay nada malo en un currículum tradicional, pero posiblemente no refleje del todo quién eres. Si quieres que te brinden la oportunidad de realizar tu mejor trabajo, debes enseñar a tus futuros jefes lo creativa y especial que eres. La primera forma de demostrarlo es cautivándolos con tu currículum. Recuerda que es tan importante para ti como para tus posibles jefes.

El texto y los ejercicios de este libro son para que te descubras a ti misma. Tras crear tu currículum vitae del arte de la guerra, la persona a quien realmente te estás vendiendo es… a ti.

REFLEXIÓN

Empieza a redactar tu convincente y único currículum… ¡Ahora! Escribe las ideas que están en tu interior y que han estado adormecidas durante este tiempo (tu visión, aspiraciones, logros) que hasta ahora solo tú has visto.

____

____

____

____

____

____

____

____

____

____

3.3. Los cinco principios imprescindibles para vencer

Cinco son los principios del saber vencer:

- Resultará vencedora quien sepa cuándo combatir y cuándo no.
- Resultará vencedora quien sepa dirigir tanto un grupo reducido de hombres como un gran número de ellos.
- Resultará vencedora quien sea capaz de conseguir el apoyo total de sus tropas.
- Resultará vencedora quien esté preparada para aprovechar las oportunidades favorables.
- Resultará vencedora quien disponga de un soberano que no interfiera en los asuntos militares.

Estos cinco principios son el Tao del saber vencer.

Cuando el rey de Wu le ofreció a Sun Tzu su apoyo incuestionable, el maestro controlaba los cinco principios. Podía tomar decisiones libremente. Y tal como predijo en la cita, sus ejércitos ganaron las batallas en las que lucharon.

Sin embargo, tras la muerte del viejo rey y la llegada al poder de su hijo, Sun Tzu se apagó lentamente.

No siempre puedes controlar todos los requisitos para vencer; es decir, los antojos de tus jefes, la dirección de tu organización o incluso el estado de tu empresa o la economía en su totalidad. Ni siquiera el maestro Sun podía controlar factores externos como el medio ambiente, el tiempo, el clima político, etc. Aun así, debes controlar lo máximo posible.

Profundiza al máximo

Dejemos de lado estos cinco puntos y usemos un ejemplo hipotético para entender mejor cómo pueden afectar en nuestro trabajo diario.

Janet, una joven mujer de negocios, redactó una propuesta en la que esbozaba su idea para crear un balneario de día asequible para mujeres trabajadoras. Además de que los precios serían más económicos, los tratamientos faciales y los masajes no serían tan largos como los de los balnearios que ofrecen sus servicios a las mujeres que no trabajan y disponen de todo el día para cuidarse.

Al director general de la empresa de Janet, Robert, le gustó la idea y le propuso que trabajase con un arquitecto externo que la ayudara a hacer realidad su sueño. Janet pensó que trabajar con otras personas para mejorar su sueño no sería un problema. Estaba equivocada.

Contrató a John, un arquitecto que había trabajado anteriormente para la empresa. Casi habían acabado el diseño de la nueva instalación, cuando Robert dijo que quería implicarse más en el proyecto. Bastó una breve conversación para darse cuenta de que Robert tenía una visión del balneario completamente diferente. Al intentar incorporar la visión de cada uno de ellos en un plan común, la idea original se desvaneció en el camino.

Veamos en qué se equivocó. Su proyecto empezó muy bien al seguir el cuarto principio esencial de Sun Tzu: aprovechar una oportunidad favorable, que era la necesidad de un balneario que cubriría un sector de mercado no explotado: las mujeres trabajadoras. Pero violó el segundo, cuando se trata de asegurar la victoria; no sabía, o en este caso no tenía el suficiente control, del número adecuado de tropas que debía usar. Como dijo Janet: «Había demasiados cocineros en la cocina».

Seguro que tienes experiencias parecidas a su historia. Cuando son muchas las personas implicadas en un proyecto, las buenas intenciones crean más confusión que resultados. Pero no siempre podrás elegir cuántas personas deberían formar parte de tu proyecto, así que si te encuentras en la situación de Janet, ¿qué deberías hacer? Recuerda el primer principio: «Resultará vencedora quien sepa cuándo combatir y cuándo no».

Puesto que Janet está contratada, luchar no es una opción. Debe hacer lo que le dice su jefe, aunque tenga que compartir las responsabilidades si fracasa el balneario. Lo único que puede hacer ante esta situación es continuar con el plan acordado y esperar que todo salga bien, asegurándose de que en un futuro no incurrirá en el mismo error.

De nuevo, demostró su dominio del cuarto principio: «Resultará vencedora quien esté preparada para aprovechar las oportunidades favorables».

Tras reconocer que no tendría la última palabra, Janet intentó incorporar lo mejor de cada uno de ellos en el diseño, ampliando su visión y esperando que la próxima vez obtuviese un mejor resultado.

Esto nos lleva a la importancia del último principio: «Resultará vencedora quien disponga de un soberano que no interfiera en los asuntos militares».

Si es posible, la próxima vez Janet tiene que luchar duro al principio de un proyecto para asegurarse la aprobación final del diseño. Debe conseguir que su jefe esté de acuerdo antes de empezar. Si no consigue su consentimiento, tiene que plantearse si quiere participar en el proyecto.

¿Cómo puedes obtener la influencia que necesitas para asegurarte de que tu sueño se haga realidad? No olvides el tercer principio: «Resultará vencedora quien sea capaz de conseguir el apoyo total de sus tropas».

En el caso de Janet, su empresa quiere que el balneario sea un éxito económico. Si puede convencerlos de que su plan permitirá que esto suceda, obtendrá la ayuda que necesita.

Janet sabe que es el momento apropiado para construir un balneario asequible para mujeres trabajadoras. Las investigaciones que ha realizado demuestran que el mercado existe, es más, como las oportunidades no siempre llaman dos veces a la misma puerta, no puede perder tiempo luchando con Robert. Necesita actuar con rapidez y decisión para conseguir que las mejores ideas de Robert y John encajen en su sueño inicial.

Los principios

No siempre puedes controlar los cinco principios, como hizo Sun Tzu en un inicio, pero si logras dominar un par de ellos puedes conseguir la victoria.

REFLEXIÓN

Resultará vencedora quien esté preparada para aprovechar las oportunidades favorables.

EJEMPLO

Objetivo a largo plazo: publicar un libro

Plan de acción: no te hará ningún bien enviar tu manuscrito a tus diez autores favoritos pidiéndoles ayuda. ¿Qué ganan ellos? Si verdaderamente quieres colaboración, escribe a uno de los autores que admiras y asegúrale que le ayudarás a promocionar su libro en tu ciudad poniéndote en contacto con las librerías, las asociaciones locales, la cámara de comercio de la comunidad, los empresarios locales y organizando un coloquio o empezando un club de lectura centrándote en su libro. Mantén informado al autor de tus buenos resultados, así te ganarás su confianza y aprecio. Ya tienes un pie dentro del sector.

Objetivo a largo plazo: ______________________________

____

Plan de acción: ___________________________________

____

____

____

____

____

____

____

____

____

4

Predisposición: Primero gana, luego lucha

Este capítulo de Sun Tzu se puede resumir en una palabra: *xing*, que significa «forma». En concreto, el término hace referencia a la disposición mental y física necesaria en las batallas ofensivas y defensivas. Ambas deberían estar presentes constantemente en nuestro día a día.

La primera parte de este capítulo, gana antes de luchar, se refiere a la disposición mental y no es tan extraño como parece. Si has realizado todos los pasos posibles para asegurarte la batalla antes de que esta empiece, si has cubierto todas las opciones y eliminado cualquier posibilidad de que te derroten, la victoria está asegurada, incluso antes del primer disparo.

Al tratar cómo ganar antes de luchar, el maestro Sun ofrece al principio del capítulo 4 los pasos necesarios para la victoria:

- Crea condiciones que tu enemigo no pueda superar.
- Espera la oportunidad adecuada (el momento justo) antes de empezar la batalla para que tu adversario se encuentre en la mayor desventaja posible.

- Tú decides si merece la pena luchar. Si no estás segura de la victoria, no luches.
- La victoria la crea en última instancia tu oponente. Hará ciertas cosas que garantizarán su derrota y tu victoria. Aprovéchalas.
- Puedes crear estrategias tanto ofensivas como defensivas que son insuperables.

Fíjate en lo que dice el maestro Sun. En Occidente, la mayoría de los libros de estrategia empiezan con la premisa de que eres la «dueña de tu destino». La idea es que debes aplicar medidas preventivas para conseguir el éxito.

Sun llega incluso a decir que la victoria no depende de ti, sino que es un regalo de tu enemigo; es decir, el triunfo está asegurado cuando el enemigo se equivoca. Por supuesto, depende de ti localizar los puntos débiles de tu adversario y explotarlos. Esta es una visión más realista para vencer en el competitivo campo de los negocios.

Piensa en la Superbowl: una batalla entre los dos mejores equipos estadounidenses de fútbol. Ambos son fuertes y normalmente están muy igualados, así que en principio no se sabe quién va a ganar. Pero el vencedor es siempre el equipo que incurre en menos errores.

Veamos algunos de los pasos ofensivos y defensivos que nos asegurarán no perder y pueden ayudarnos a triunfar.

4.1. Gana antes de luchar

> Los expertos estrategas de la antigüedad trataban primero de situarse en una posición invencible y entonces aguardaban la oportunidad de derrotar al enemigo.

Esta afirmación, que abre el capítulo 4 de *El arte de la guerra* de Sun Tzu, es una de las más enigmáticas de todo el libro. Todo el mundo ha intentado desentrañar su sentido, pero pocos lo han conseguido.

Aun así, mucha gente sigue citando esta frase. Les hace sentirse fuertes e inteligentes, ¡aun sin saber qué significa! En libros, películas y programas televisivos, antes de la batalla crucial, puedes oír a menudo alguna versión de esta declaración.

A primera vista, parece que nos diga que el momento de luchar es cuando ya has ganado; pero el comentario va mucho más allá.

En realidad, lo que el maestro Sun dice es que necesitas saber que todas las partes de tu plan de batalla (las estrategias, tácticas y contingencias) están en el lugar que les corresponde y preparadas para funcionar perfectamente antes de que esta empiece. Nacido en medio de una guerra civil que duró quinientos cincuenta años, Sun Tzu sabía que lo único seguro en un combate es que una vez empieza ya no hay nada seguro.

La preparación para cualquier batalla en el lugar de trabajo incluye que te anticipes a cualquier contratiempo que pueda tener lugar después del ataque inicial, lo que significa tener la capacidad de cambiar el rumbo una vez esta ha empezado.

El motivo por el que necesitas esa habilidad es sencillo: no importa lo duro que hayas trabajado ni cuánto te hayas preparado, cuando comience la lucha te enfrentarás a situaciones que no planeaste; tendrás que adaptarte.

Pero ¿cómo puedes cambiar de repente? Aprovechando una fuerza que se encuentra en tu interior, una que pasa al primer plano cuando estás luchando. Me refiero al genio y talento que posees.

Los planes empresariales bien pensados y las propuestas de marketing fenomenales quedan muy bien sobre el papel, pero como te dirán muchos directores generales, el problema en el mundo de los negocios es que no se tienen en cuenta las fricciones inesperadas que siempre se producen una vez se han puesto en marcha. Los planes de la batalla cambiarán a medida que tus adversarios se hagan más fuertes. Lo que perdurará eres tú, tu deseo indomable, tu determinación, tu visión ganadora.

Hay que estar preparada mentalmente para conseguir la victoria. El estado mental adecuado es un componente clave para conseguir ser invencible.

La victoria aparece primero en tu mente

> Un ejército victorioso vence primero y trata de luchar después; un ejército derrotado lucha primero y trata de vencer después.

Hace poco, recibí una carta de una mujer joven que vende seguros y me contaba lo difícil que le resultaba hacer una venta. En mi opinión, está luchando en una guerra equivocada: cree que intenta convencer a posibles clientes, pero la primera batalla está en su cabeza. Tiene que convencerse de que va a realizar la venta antes de intentarlo.

Cuando se le presenta la oportunidad, debe olvidarse de las comisiones (recuerda: pensar solo en los beneficios económicos entra totalmente en conflicto con el Tao) y centrarse en el bienestar del cliente. Su objetivo no debería ser conseguir cada vez una venta, sino tener una mentalidad ganadora que le permita triunfar una y otra vez. El único modo de que esto se produzca es que se convenza a sí misma de que va a hacer la venta.

Una ganadora experimenta la victoria en su cuerpo, en su mente y en su alma antes incluso de luchar en la batalla. Todas las comerciales saben, o deberían saber, que no puedes empezar a hablar con un cliente con la esperanza de realizar una venta. Tienes que haberla realizado en tu mente antes de hacerla en la realidad.

Tanto da si conseguir la venta conlleva convencer a tus superiores de que tu propuesta es mejor que la de tus compañeros o conseguir un nuevo cliente, no puedes enfrentarte a ello diciendo «espero ganar». Debes tener una imagen mental de cómo es la victoria, solo entonces puedes mirar hacia atrás para determinar cómo puede producirse la victoria.

El matrimonio entre la estrategia y la actitud de la ganadora

En algún punto, la ciencia de los negocios se divide en dos grandes categorías.

El primer enfoque se acostumbra a denominar motivacional. Este tipo de escuela a menudo recurre a gritos de ánimo y al recuerdo constante del «puedo hacerlo» cuando te enfrentes con un problema en los negocios. El otro tipo solo se ocupa de la estrategia, el tono es generalmente seco y se basa en fórmulas preestablecidas.

Cuando lees libros o artículos sobre estas cuestiones parece como si existiesen en el vacío. Esto es absurdo; es obvio que tenemos que integrar estrategia y motivación.

No importa qué estrategias de negocios conozcas, si no tienes actitud o alma de ganadora no servirán de nada.

Por ello se dice: «Hay generales sobre el papel y generales de campo de batalla». La general sobre el papel no tiene ni la menor idea de qué hacer en el mundo real cuando debe enfrentarse a problemas que no ha tenido en cuenta. Sin embargo, la general de campo de batalla sabe cómo combinar la estrategia con una actitud ganadora, no siente miedo de luchar y sabe cómo hacer que las cosas ocurran.

La alegría de ganar

¿Cómo conseguir una actitud ganadora? Es obvio que solo con querer ganar no te conviertes en vencedora, pero es el primer paso necesario. Antes de librar cualquier batalla, en la sala de reuniones o fuera de la oficina, tienes que descubrir si existe algún obstáculo entre tu persona y la victoria.

Todas pensamos que queremos ganar, pero muchas anteponen el calor de la lucha a la victoria en sí.

Brianne, una amiga mía, es una vendedora principiante brillante y muy solícita. Trabaja en el departamento de ventas de una empresa que fabrica máquinas que hacen microprocesadores y que factura cinco mil millones de dólares. En una ocasión me dijo: «Estoy muy cansada. Mi trabajo es como tirar cuesta arriba de una vaca testaruda». La empresa tiene éxito aunque sus ventas son escasas.

Después de charlar un rato, recordó que de pequeña siempre ganaba con facilidad y como se sentía culpable de derrotar a los demás niños, aprendió a minimizar sus éxitos y a jugar mal a propósito para igualar la competición. Tras examinar su comportamiento, observó que había empezado a disfrutar de la lucha con el resto de la humanidad solo para probar que era una persona amable y «normal». Para ella era más importante gustar a la gente que tener éxito. Le dije: «Primero debes ser amable contigo misma. Deja al resto de la humanidad que cuide de sí misma».

Después de esta conversación, su trabajo fue mucho más sencillo y las ventas subieron un 246 por ciento al año siguiente. Hace poco me dijo que había dejado de luchar. «Me he centrado en ganar y ahora me encuentro más tranquila. Con la mentalidad de ganar primero, todo es más fácil.»

4.2. Ganar llevando zapatos de cristal o botas militares

La invencibilidad depende de una misma; la vulnerabilidad, del enemigo.

Si lo aplicamos al mundo laboral moderno, la cita nos dice que las mujeres tenemos el poder de asegurarnos la victoria en aquellos campos que dominamos. Pero si no aceptamos este poder, brindamos la oportunidad a los supuestos «enemigos» (hombres y prejuicios de género) de intervenir y vencernos.

Es decir, mientras controlamos nuestra invulnerabilidad, el enemigo controla nuestra vulnerabilidad. Mientras veamos las barreras de género como un enemigo indestructible, no seremos capaces de atravesarlas. No son poderosas por sí mismas: es nuestra creencia de que lo son lo que les proporciona el poder.

En este capítulo te recomiendo que dejes de ver la discriminación sexual como un potencial enemigo que puede hacerte vulnerable. En cambio, te animo a que seas inmune al pensamiento de que se te está frenando por el mero hecho de ser mujer. ¿Cómo? Viéndote como la creadora de tu propia idea de éxito.

Podríamos culpar únicamente a los hombres de la desigualdad sexual, pero actuando de ese modo no seríamos coherentes con el Tao y nos equivocaríamos.

Es cierto que los hombres han contribuido a la opresión de las mujeres, pero también debemos asumir nuestra parte de culpa. ¿Por qué? Porque nos engañamos a nosotras mismas.

Hemos entrenado nuestros cerebros para que entiendan el éxito de determinada manera: la masculina; se trata solo de ir hacia arriba, de ascender en la empresa y llegar a ser directivas.

Muchas de nosotras ahogamos en nuestro interior otras definiciones de éxito (las que no tienen nada que ver con conseguir un cargo de relumbrón en una empresa) por «inaceptables» porque sentimos miedo de que al decir la verdad sobre quiénes somos y qué queremos en realidad, el mundo que cuidadosamente hemos creado pueda derrumbarse sobre nosotras.

Por ello nos engañamos inconscientemente y buscamos lo que creemos que tenemos que buscar en lugar de lo que es importante para nosotras. Esta no es la manera de vivir tu vida.

Si profundizas lo suficiente para descubrir quién eres, qué deseas y qué es lo correcto para ti, tu sinceridad te guiará hacia la felicidad personal.

Y si muchas mujeres son honestas consigo mismas admitirán que no quieren ser directivas. Algunas solo anhelan cierto grado de comodidad y un sueldo decente; desean poder cuidar a su familia, dedicar tiempo a sus amigos, leer buenos libros, viajar, llevar calzado deportivo y ropa cómoda, y crear un ambiente enriquecedor para sus seres queridos.

Otras quieren algo más aparte de todo esto: una carrera profesional satisfactoria. Pero no desean que oprima sus vidas.

Sin embargo, en ambos casos se logra que se sientan culpables por no tener «suficiente ambición» y por eso se crean excusas; la de culpar a la discriminación sexual es una de las más fáciles. Es más sencillo decir «simplemente no ascienden a las mujeres» que ser honesta y reconocer «en realidad no quiero ni la presión ni dedicar el tiempo necesario a un alto cargo».

Esperar al Príncipe Azul

> Si no eres capaz de ganar, defiende. Si puedes ganar, ataca.

También existe la mujer que quiere que la asciendan pero lleva zapatos de cristal. Es ambiciosa pero carece de espíritu guerrero, ansía el éxito pero es incapaz de liberarse de su «actitud de Cenicienta». Déjame que te explique esta frase.

En el interior de cada mujer hay una pequeña parte que anhela ser una Cenicienta, que espera que llegue el Príncipe Azul y le proporcione una vida de lujo y tranquilidad.

No pasa nada si se tiene esa fantasía, sobre todo teniendo en cuenta que es una historia que nos han contado desde que éramos pequeñas. No obstante, no se puede ascender en la empresa con zapatos de cristal; para ello necesitas las botas militares. La escalada debe realizarla una guerrera.

De nuevo, quiero recordarte que cualquier decisión que adoptes es correcta. Quizá desees anteponer la familia; o quieras conseguir un equilibrio, el mejor posible, entre la familia y tu vida profesional; o prefieras dejarlo todo de lado para llegar a ser directiva.

El problema no reside en ninguna de estas opciones. La cuestión es que hay que decidir: ¿queremos las zapatillas cómodas, los zapatos de cristal o las botas militares? No te engañes. No te justifiques. Siéntete orgullosa de tu elección.

Es muy fácil localizar a los malos fuera. No cabe duda de que los hombres nos han discriminado; pero la principal fuerza que lo ha logrado es nuestra confusión sobre lo que deseamos.

Antes de avanzar deberíamos observar con objetividad cómo hemos contribuido a llegar a nuestra situación. Examinemos algunos de los factores que nos hacen sentir tan infelices.

¿Por qué a las mujeres nos resulta tan difícil encontrar el «calzado» apropiado?

1. *Anteponemos las fantasías a la realidad.* El otro día un director de banco que conozco me hizo la siguiente confidencia: «Sinceramente me gustaría ascender y promocionar a mujeres capacitadas, pero no encuentro candidatas cualificadas».

Miré a mi alrededor y entendí de dónde procedía su frustración. Por la forma en que las mujeres del banco hablaban, actuaban e iban vestidas se observaba que no se tomaban en serio sus carreras profesionales. Aunque trabajasen en un entorno bancario conservador, la mayoría iban vestidas como adolescentes que van a clase.

Algunas llevaban largos vestidos estampados de flores, otras minifaldas y blusas de encaje. Para estas mujeres era más importante ser atractivas e ir a la última como las adolescentes que vestir como futuras ejecutivas.

Por supuesto, la obligación de ir vestida adecuadamente no es discriminación hacia las mujeres. En un entorno de trabajo conservador tampoco se promocionará a los hombres que suelan llevar camiseta y bermudas.

Todo (la indumentaria, las actitudes, las capacidades) muestra qué pensamos de nuestro puesto de trabajo. ¿Cómo podemos pretender que nos promocionen si no nos consideramos aptas para un ascenso y lo expresamos exteriormente?

---

2. *Nos engañamos sobre lo que deseamos.*

> Es posible saber cómo lograr la victoria y sin embargo no poder realizarla.

No hay ningún problema en decir: «Trabajo para mantenerme y ayudar a mi familia». Si esa es tu elección, deberías estar orgullosa de ello. Es una motivación muy noble en armonía con el Tao; es universal. Una madre que desea ganar dinero para mejorar el nivel de vida de la familia actúa en concordancia con el Tao. Es correcto y es válido.

Si eso es realmente lo que quieres y lo estás llevando a cabo eres una ganadora. La mujer que dice una cosa («quiero ser directiva») y siente otra («en realidad no quiero trabajar tanto») acaba siendo desdichada.

3. *Llevamos zapatos de cristal y ropa de combate.* La mujer más insatisfecha es aquella que se encuentra atrapada entre su sueño de ser Cenicienta y tener que hacer lo necesario para lograr reconocimiento y un ascenso en su puesto de trabajo. El resultado es que acaba siendo poco eficiente en ambos ámbitos.

Debes desechar o bien los zapatos de cristal o bien la ropa militar. Si decides llevar ropa militar, también debes ponerte las botas; los zapatos de cristal van con el vestido de noche.

Sea lo que sea lo que elijas, sé consecuente con ello y disfrútalo.

4. *Aceptamos el mito de la discriminación sexual.* A la verdadera guerrera que desea ascender no la frena la discriminación sino su mito.

Sería un error obviar su existencia, pero preocuparte por ella no te beneficia. Concéntrate en lo que te favorece en lugar de centrarte en lo que hace que te derrumbes.

En un mundo dominado por hombres, la difunta Dawn Steel fue la primera mujer presidenta de una importante productora de películas: la Columbia Pictures. Cuando le preguntaban sobre la discriminación sexual, respondía que no la veía, no existía para ella. Desde luego que existía, si no ella no hubiese sido una excepción, pero eligió no verla.

Recientemente Hélène Larivée, la directora general del Cirque du Soleil, que es sin duda el circo más artístico y estimulante actualmente, me invitó a ver un espectáculo de la compañía.

Le dije a Hélène que siempre había pensado que el circo era un mundo machista y dominado por hombres. Le pregunté qué elemento había contribuido de forma más efectiva a su triunfo en este medio.

Hélène, una mujer de aspecto delicado que mide aproximadamente metro y medio, me contestó: «Siempre he trabajado con hombres y nunca me he sentido diferente a ellos».

Debido a que Hélène se presenta como una mujer de negocios fuerte y competente, los hombres también la ven de esa manera.

La mayoría de los que se encuentran en posición de ascender a una mujer no son tontos; son conscientes de los beneficios de trabajar con personas capacitadas, independientemente de su sexo.

Las mujeres que tienen éxito en el mundo entero tienen una cosa en común: no ven la discriminación sexual.

---

5. *Carecemos de un espíritu fuerte.*

Si las fuerzas no son suficientes se opta por la defensa, mientras que se ataca cuando aquellas sobran.

La fuerza proviene de nuestro espíritu y sin él somos débiles. Podemos realzar nuestra apariencia exterior vistiéndonos y hablando bien, pero no podemos fingir el espíritu.

Aportaré dos ejemplos: en una ocasión asistí a una fiesta en la que me presentaron a una mujer que era la encargada de la formación en una empresa de telefonía. Esta mujer se estaba formando constantemente para mejorar, vestía y hablaba como una profesional y aun así creía que no la estaban promocionando tan rápido como merecía.

Cuando empecé a hablar con ella, sentí que fallaba algo. Y de repente lo comprendí: Susan es de Georgia y, como a toda mujer del sur, le habían enseñado a ser agradable y femenina; no había aprendido a ser enérgica, particularmente ante los hombres.

En su interior creía que el comportamiento «Tipo A» que se requería para tener éxito en el trabajo no era femenino y, por lo tanto, era inapropiado. Sus jefes, sin cuestionárselo, pensaban que no era suficientemente ambiciosa para ascenderla. Susan tendrá que superar su educación o resignarse a realizar un trabajo sin retos. Aunque se vista para triunfar, domine el vocabulario empresarial y derroche encanto nunca vencerá a su sentimiento de impotencia.

Sin embargo, cuando conocí a Datuk Seri Rafidah Aziz, la ministra de Comercio Internacional de Malasia, pensé que el primer ministro no estaba en su sano juicio cuando la nombró para un puesto tan importante. Llevaba el vestido tradicional de Malasia, que llega hasta los pies, con los colores del arco iris. En brazos, cuello y orejas llevaba ornamentos de oro, y llevaba los ojos maquillados de un azul intenso; de ningún modo iba como se espera que vaya alguien con tanta responsabilidad en Occidente. No obstante, cuando habló observé que su espíritu era tan alegre y luminoso como su estilo.

Hablar y actuar puede ayudarte hasta cierto punto, pero es el espíritu que desprenden tus actos, tus palabras y tu aspecto lo que da a conocer tu estado interior.

Soluciones ante la discriminación sexual

Si estás convencida de que no te promocionan por ser mujer, entonces deberías:

1. Encontrar a personas en quienes confíes y preguntarles dónde creen que reside el problema. En uno de mis talleres, una mujer se quejaba de que no la ascendían porque la discriminaban. Le dije que subiese al estrado y le pedí que represen-

tase algunas de las situaciones en las que se había encontrado en el trabajo. Todos los asistentes observaron que necesitaba trabajar su confianza, su lenguaje corporal y la comunicación. No era un problema de discriminación sexual, sino suyo.

2. Si en realidad te están discriminando y no te gusta tu trabajo, es el momento de buscar otro empleo.

3. Si te gusta tu trabajo y no quieres marcharte, entonces tienes que esforzarte más aún. Actuando así, pueden ocurrir dos cosas. Si es cierto que eres buena tendrás más oportunidades de ascenso puesto que a tu jefe le interesa utilizarte de la forma más efectiva. Por supuesto, es posible que no haya pensado en ti para proyectos y ascensos importantes porque tu jefe o jefa temen que ocupes su lugar. En este caso, el universo ha tomado la decisión por ti: es el momento de que busques un mejor empleo en otra empresa.

Todo depende de las botas militares y de los zapatos de cristal

> La invencibilidad depende de una misma; la vulnerabilidad, del enemigo.

Tal como señala Sun Tzu, no puedes controlar totalmente la victoria. El éxito depende en parte de las circunstancias a las que te enfrentas, pero puedes protegerte de la derrota. Existen dos principales razones por las que perdemos.

En primer lugar, no llevamos el calzado apropiado para la ocasión. En el trabajo es necesario llevar botas militares y no zapatos de cristal.

Segundo, nos justificamos ante el fracaso. Como dice el maestro Sun, asegurarte la victoria depende de tu esfuerzo. Es decir, no puedes culpar a los demás si las cosas no te salen bien. Entre otras cosas, a partir de este momento podemos olvidarnos para siempre de «la discriminación sexual» como excusa.

Cuando estamos contentas con nuestro trabajo y nuestra posición somos ganadoras, no importa si los demás lo ven como algo prestigioso o humilde. Da igual como te vean; si tú eres feliz contigo misma, eres una vencedora.

El mundo es lo suficientemente grande para albergar sueños de diferentes tamaños y colores, ninguno es mejor que otro. No importa si deseas llevar zapatos de cristal o botas militares, siempre y cuando seas sincera contigo misma y tus acciones estén en armonía con el Tao habrá un futuro feliz esperándote.

REFLEXIÓN

¿Cuáles son los objetivos más importantes en tu vida? Valora con un 1 lo que es más importante y con un 10 lo que lo es menos.

_____ Que me asciendan
_____ Crear mi propia empresa
_____ Pasar tiempo con mi familia
_____ Viajar
_____ Cocinar
_____ Ganar dinero
_____ ____
_____ ____
_____ ____
_____ ____
_____ ____

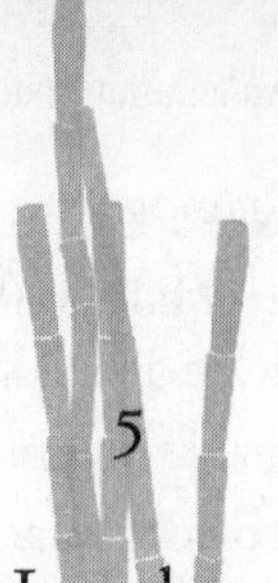

5

Impulso: Usa el tempo para generar impulso

Sun Tzu usó una palabra para el título del quinto capítulo de *El arte de la guerra*: *shi*, que significa «impulso».

La utilizó como se hace en la actualidad (como sinónimo de energía o fuerza para lanzar algo) y como verás en este capítulo, la clave para crear impulso es aventajar a tu adversario en un terreno que domines con claridad.

El maestro Sun creía que el impulso se consigue dirigiendo, pensando y actuando de modo diferente (de manera que confunda a tu enemigo) y, lo más fascinante, explotando las fuerzas que se encuentran a tu alrededor, en particular el tempo universal que te permitirá crear un movimiento favorable.

5.1. El siglo XXI, el siglo de las mujeres

El súbito impulso de una cascada arrastra las piedras gracias a su potencia.

El súbito impacto del ave de presa destroza a su víctima gracias a la precisión de su ejecución.

La experta estratega lleva a sus tropas a la batalla creando una aplastante fuerza impulsora.

¿Cuál es exactamente la diferencia entre el tempo universal que está fuera de nuestro control y el tempo personal sobre el que podemos influir?

Para poder responder a esta pregunta, debemos echar un vistazo a nuestra vida, como hizo Sun Tzu.

En el universo existen poderosas fuerzas naturales. El torrente de agua es sin duda una de ellas y, como apuntó el maestro Sun, puede ser una bendición (su fuerza puede ser suficiente para que una rueda hidráulica impulse un molino) y una maldición (si no se canaliza adecuadamente, el mismo torrente puede hacer que un pueblo desaparezca).

Sin embargo, no creo que hablase literalmente cuando mencionó las fuerzas naturales como el torrente de agua y el águila cuando vuela. Como muestra la última parte de la cita (cuando habla de animar a las tropas), también hablaba metafóricamente.

Por ejemplo, en la misma cita, podríamos sustituir «el torrente de agua» por «nuestros pensamientos (en continua circulación)». Si lo hacemos, de esta manera podemos pensar en el tempo universal como en una idea cuyo momento ha llegado.

Cuando tienes el tempo universal de tu lado, eres imparable. Y esto es lo que nos está sucediendo a las mujeres en este nuevo siglo, nos estamos convirtiendo en una fuerza imparable.

Estamos desplazándonos de la Revolución industrial a la

Revolución de la información, del siglo del hombre al siglo de la mujer. No se trata del lema de un mitin; podemos hacerlo realidad.

Cabalgar sobre el tempo universal

El Tao apoya la igualdad entre el yin y el yang; nuestro mundo fue creado con igualdad en el pensamiento. Las mujeres debemos ver más allá de los mitos de la superioridad del hombre. En el curso natural de la evolución humana, el poder del yin (el femenino) crecerá y aumentará de modo imparable como la luna creciente; lo que se reprimió y humilló aumentará y se glorificará.

Este es el principio del Tao y de la justicia universal: todo aquello que va en contra del Tao encontrará su destrucción o la corrección.

Dada la naturaleza de las mujeres, es probable que esta nueva era sea una época más equilibrada y compasiva en la historia de la humanidad. El mero hecho de llegar al poder hará que las mujeres acaben con la tradición masculina de repetir la historia. En su lugar, la reinventarán. De la misma manera que la raza humana se ha recreado por medio del cuerpo de la mujer y mejora a medida que evoluciona, la humanidad progresará cuando exista un equilibrio entre el yin y el yang.

Y esta transformación ya está en movimiento, puesto que las mujeres de todo el mundo están sacando provecho de las fuerzas que harán que el siglo XXI sea nuestro siglo. Se puede apreciar en todas partes.

- En 2006, la revista *CFO* informaba que había 35 mujeres directoras financieras en la lista de empresas Fortune 500. Lo que supone una mejora de un 350 por ciento desde 1995, el primer año que se realizó la encuesta, cuando solo 10 mujeres ocupaban ese cargo.
- Según el National Women's Business Council, hace veinticinco años las mujeres eran propietarias del 10 por ciento de las empresas estadounidenses. En la actualidad, poseen la mayoría del 48 por ciento de las compañías privadas del país.
- Según un estudio realizado en 2005 por Corporate Woman Directors International, el 90 por ciento de las empresas bancarias de Estados Unidos (comparado con solo el 78 por ciento de las empresas no estadounidenses) tiene por lo menos una directiva.
- En agosto de 2006, Indra Nooyi fue nombrada directora de Pepsi Co. Se convirtió en la primera en la historia de la compañía y en la undécima mujer directora en la lista Fortune 500.
- Según un estudio realizado por Catalyst (una organización de investigación y asesoramiento sin ánimo de lucro que trabaja para que la mujer progrese en los negocios y en sus profesiones) en 2004, las empresas de la lista Fortune 500 con los porcentajes más altos de directoras ejecutivas aportaron a los accionistas (en comparación con las que tienen menor número de directoras ejecutivas) una rentabilidad media sobre la inversión superior a un 35,1 por ciento y una rentabilidad total media superior a un 34 por ciento.

Y esta situación va a más. Pero siempre se puede mejorar. «En Estados Unidos hay que aumentar el índice de mujeres que encabezan las empresas en la lista Fortune 500 y que forman parte de los consejos ejecutivos si queremos continuar con nuestro dominio en el mercado global», comenta Linda K. Bolliger, fundadora y presidenta de Boardroom Bound, cuyo programa prepara y fomenta la diversidad en las reuniones empresariales. «El siglo XXI hace una llamada a la creación del consenso a fin de que las instituciones sobrevivan.»

Dos tendencias más a nuestro favor

Al siglo XXI se lo conoce comúnmente como el Siglo del Pacífico, puesto que esta región es, y será, la principal zona de crecimiento mundial. Junto con el aumento del poder económico del Pacífico, también asistiremos a un incremento del influjo de sus valores culturales, que tienden más hacia lo intangible y lo intuitivo comparados con los valores occidentales.

En mi opinión, las características dominantes de la cultura occidental (ser directa, actuar de manera racional y lógica y decir lo que piensas) son masculinas. Las cualidades en el Pacífico o en Asia son claramente femeninas: intuitivas, sutiles. Las culturas de esta zona reconocen un amplio espectro de grises y aceptan que la vida está llena de ambigüedades y paradojas.

Las cualidades femeninas como la empatía, la intuición, el amor y el respeto no eran valoradas (para decirlo sin rodeos, se las denigraba) durante la era industrial dominada por los hombres.

En la actualidad, a medida que nos introducimos más en la

era de la información, la fuerza bruta ya no es la fuerza dominante que gobierna la sociedad; lo es la fuerza mental. Las habilidades femeninas innatas para percibir matices sutiles de significado y negociar lo desconocido se convertirán en las herramientas esenciales durante este siglo.

Ha llegado el momento del siglo de las mujeres.

La combinación de la era de la información y del Siglo del Pacífico causará una gran explosión de energía femenina. La fuerza masculina dará paso a las sutiles facultades intuitivas que son capaces de alcanzar e ir más allá de la norma. Gradualmente, el siglo XXI lo dominará la energía femenina. Ya hay mujeres que dirigen empresas que constan entre las cien mejores según la revista *Fortune* y confío que durante el transcurso del siglo XXI tendremos una presidenta de Estados Unidos.

Se trata del siglo de las mujeres

> Ni entre las cinco fases hay ninguna que predomine constantemente, ni entre las cuatro estaciones ninguna que ocupe una posición permanente.
>
> Los días se alargan y acortan, la luna crece y mengua.

El hecho de que el hombre haya tenido el poder político y económico durante los últimos milenios se debe al Tien, el tempo universal. Pero las mismas fuerzas que han hecho que los hombres ascendieran auparán a la mujer en el siglo XXI.

Lo que no quiere decir que vaya a ser fácil; mientras el cielo hace su parte, nosotras tenemos que hacer la nuestra. Y es responsabilidad de cada mujer aprovechar este momento bendito individualmente.

5.2. Seis pasos para mejorar tu tempo personal

> Una guerrera competente busca la victoria utilizando el momento oportuno.

En realidad el tempo lo es todo. No puedes vender a las personas un producto si no lo quieren; tus productos tienen que responder a un deseo inconsciente en su interior. Cuando lo vean, se darán cuenta de que es lo que estaban esperando; es el momento adecuado.

Si tu producto o servicio se avanza al gusto del público, las ventas no se producirán. Si llega al mercado muy tarde, ya ha pasado la tendencia. En ambos casos, el tempo no es el apropiado.

El tempo correcto (el Tien) confirma la sincronización entre los deseos inconscientes colectivos que surgen y la disponibilidad de las ideas/productos/personas para satisfacer esos deseos.

En el capítulo anterior trataba diversas formas de unirse al tempo universal. La pregunta que debes formularte es: ¿existe alguna manera de mejorar mi tempo personal? Creo que sí. De hecho, considero que hay seis maneras de mejorarlo y al ponerlas en práctica aumentarás tus posibilidades de éxito.

Cómo podemos mejorar nuestro tempo

1. *Observa las señales ocultas en todas partes.* Una idea cuyo momento casi ha llegado da una pista sutil pero inconfundible, incluso en ocasiones deja a su paso un rastro físico.

Pongamos como ejemplo el mundo de la moda. La mayoría de las personas cree que los diseñadores dictan cómo iremos vestidas y que cada «tendencia» surge de su imaginación.

Pero ellos no creen que funcione de esa manera. Durante una entrevista le preguntaron a Donna Karan cómo decidía lo que iba a diseñar para la siguiente temporada.

La respuesta fue cautivadoramente simple. Explicó que prestaba atención a las señales que la rodeaban, las grandes y las pequeñas. Algunos colores o diseños aparecían repetidamente en la calle, en el metro o en la televisión. Estas señales le indicaban lo que pasaba por la mente de la gente. Usaba estos signos como guía para asegurarse de que estaba en el camino correcto con respecto a lo que estaba diseñando.

Todas podemos sentirnos identificadas con esta explicación. En algún momento, hemos utilizado este proceso «acientífico» de sentido común para que nos ayudara a tomar decisiones sobre cuándo, cómo y si continuar con determinados proyectos.

2. *Sincronízate con el tempo de los posibles socios.*

> El súbito impacto del ave de presa destroza a su víctima gracias a la precisión de su ejecución.

Esto es algo que Sun Tzu entendió muy bien:

> La estratega experta evita al enemigo cuando su aliento moral es intenso y lo ataca cuando declina o está agotado.

Este es un ejemplo sencillo: la gente que organiza congresos sabe que el tempo, la programación en su caso, es básico para el éxito de una conferencia. Si son las empresas las que pagan la inscripción al seminario, los asistentes prefieren que este tenga lugar durante la semana laboral. Si es el propio asistente quien lo paga, quiere que se imparta en fin de semana. Y, por supuesto, los organizadores de congresos intentan no programarlos cerca de las fechas navideñas, puesto que la gente está ocupada con las tensiones y complicaciones que crean las vacaciones.

Si vas a realizar una llamada para vender un producto o vas a presentar una propuesta empresarial, lo mejor es que trates de evitar los malos momentos del cliente. Todos tienen por lo menos uno y depende de ti saber cuándo es. Para algunos pueden ser los lunes por la mañana, para otros los viernes por la tarde.

Conozco al editor de una revista para quien el momento más tranquilo es después de las cinco y media, cuando todos los empleados se han marchado y ha desaparecido el caos. Es el mejor momento para localizarlo. (También ayuda que a las cinco y media su secretaria ha acabado su jornada laboral y es él quien contesta las llamadas.)

3. *Sé consciente de la relación entre tu objetivo y tu tempo.*

> La experta estratega conduce el ataque como una ballesta tensada llena de impulso y potencial. Cuando acciona el mecanismo de disparo, la flecha con un cálculo preciso combina la distancia, el tempo y el blanco. Ni pronto ni tarde.

Hay muchas probabilidades de que llegar a la cima te cueste más, a menudo mucho más, de lo que te gustaría. No conseguirás ser la jefa a las dos semanas de que te contraten de administrativa.

Cuando no eres consciente del tiempo que tardarás en conseguir tu objetivo, eres como el agricultor que constantemente está arrancando alguna raíz de la cosecha para comprobar si está creciendo. Debes tener una visión realista de cuánto tiempo tardarás en conseguir tu objetivo.

Aquí no hay reglas fijas, cuando nos referimos al tempo, no siempre significa ser la primera en llegar al mercado. La Coca-Cola light no fue el primer refresco no calórico del mercado; Dell no inventó el primer ordenador personal y Southwest Airlines no fue la primera compañía aérea regional.

Hay momentos en los que es preferible que tu adversario lance primero el producto y pague el precio necesario para educar a consumidores, distribuidores y minoristas sobre cuáles son las características del nuevo producto. Es entonces, cuando el mercado ya está preparado, cuando tú te lanzas en picado.

Tienes que determinar dónde reside tu fuerza. Si es en investigación y desarrollo, entonces querrás ser la primera en comercializar el producto. Si eres mejor controlando los costes (y por lo tanto puedes ser una proveedora de bajo coste) entonces querrás seguir a los precursores y reducir sus precios. La cuestión es que tu objetivo y tu momento vayan a la par.

4. *Utiliza tu intuición para mejorar tu tempo.* Una prestigiosa editora me dijo en una ocasión: «Levanto el dedo y siento cómo el aire me indica qué libro comprar». Creo que no estaba bromeando.

El tempo está muy relacionado con la intuición, ese sentimiento que no puedes explicar pero que siempre te hace adoptar la decisión adecuada. Si prestamos atención a nuestra intuición, esta nos ayudará a detectar lo «acertado» de nuestro tempo.

Las personas que por naturaleza son sensibles, cariñosas, que sienten empatía y que dan sin esperar nada a cambio suelen ser más intuitivas.

Puedes aplicar algunas medidas para agudizar tu intuición:

a) La intuición es como un músculo; cuanto más la uses más se desarrollará. Siempre que sea posible, antes de intentar «comprender» cuál es la respuesta acertada para el problema al que te enfrentas, intenta sentir qué hacer.

Empieza poco a poco. Antes de abrir el buzón procura sentir qué hay dentro. ¿Está el buzón muy lleno o bastante vacío? ¿Qué hay en su interior, está lleno de revistas y de publicidad o solo hay un par de cartas?

b) Cuando «aciertes» fíjate en cuál era tu estado de ánimo. Es probable que estuvieses tranquila. Normalmente la llamamos «intuición femenina» y la mayoría de nosotras la infravaloramos, y, como a menudo vemos después, en nuestro detrimento.

Hay un motivo por el que la primera frase del doctor Benjamin Spock en *Tu hijo. Enciclopedia de los padres*, la biblia de la educación infantil, es: «Usted sabe más de lo que supone».

En *El poder de la intuición*, Gary Klein, un psicólogo y célebre investigador argumenta cuidadosa, metódica y convincentemente hasta llegar a una máxima que puede reducirse a lo siguiente: confía en tu instinto. Las aptitudes, formación y educación son necesarias, pero no subestimes el poder de la intuición.

«Defino intuición como la forma en que convertimos nuestra experiencia en acción —escribe Klein, que dirige su propia consultoría—. Nuestra experiencia nos permite reconocer qué sucede (juzgando) y cómo reaccionar a ello (decidiendo). Puesto que nuestras experiencias nos permiten reconocer qué hacer [...] no tenemos que considerar deliberadamente las cuestiones para llegar a tomar una decisión válida [y rápida].»

c) Practica la meditación para tranquilizarte y así podrás ser una receptora astuta, una persona que asimila imágenes sin ruido no deseado. Te sorprenderá hasta dónde eres capaz de ver. Hay diversas clases de meditación que puedes explorar, pero una buena manera de empezar es sencillamente sentarte tranquila y prestar atención a tu respiración. Puede que te ayude contemplar un espacio amplio como el océano, el desierto o el cielo. También hay actividades y juegos que pueden ayudar a mejorar tu concentración: el golf y el punto son dos ejemplos. Incluso sentarse en una mecedora puede ayudarte a relajar tu mente.

5. *Apoya tu intuición con datos y planificación.* Sun Tzu creía que hay solo tres enfoques para planificar y explicaba las consecuencias de cada uno de ellos:

a) Planificación meticulosa. Antes de librar la batalla, ya has ganado la guerra.
b) Planificación descuidada. Antes de librar la batalla, puede que ya hayas perdido la guerra.
c) Sin planificación. La derrota está asegurada.

Es decir, la planificación es la clave de la victoria. Hasta estar completamente segura de tus instintos, deberías reunir información concluyente que apoye tu intuición. Tras sacarle provecho a tu intuición femenina puedes reducir los 360 grados de posibilidades a una dirección específica. Una vez establezcas la dirección, reúne información para aprobar o rechazar la viabilidad de tus intuiciones.

No te conviertas en tu peor enemiga.
Usa tus instintos para saber cuándo es el momento apropiado para poner en práctica tus planes.

---

6. *Utiliza el sentido común.* Como dijo el maestro Sun: «Hay épocas favorables para la propagación del fuego y mo-

mentos apropiados para su desencadenamiento». Si el viento sopla en tu dirección, por ejemplo, no deberías encender fuego en el terreno de tu enemigo. Comprueba siempre hacia dónde sopla el viento antes de introducir una idea nueva en el trabajo.

Piensa en formas de mejorar tu tempo personal

> La experta estratega lleva a sus tropas a la batalla
> creando una aplastante fuerza impulsora.

Puedes mejorar tu tempo personal sacando provecho a tu intuición y haciendo tus deberes, pero si tus intenciones no están en armonía con el Tao, tu tempo siempre estará desajustado.

Puede que no seamos capaces de controlar el tempo, pero podemos mejorarlo complementando nuestra intuición con el sentido común y la experiencia, y llevando a cabo nuestros planes de una manera ética (y oportuna).

Al incorporar el Tao en nuestro día a día, mejoraremos nuestro tempo. Donde hay tempo hay movimiento y con el impulso favorable te resultará más fácil conseguir tus objetivos.

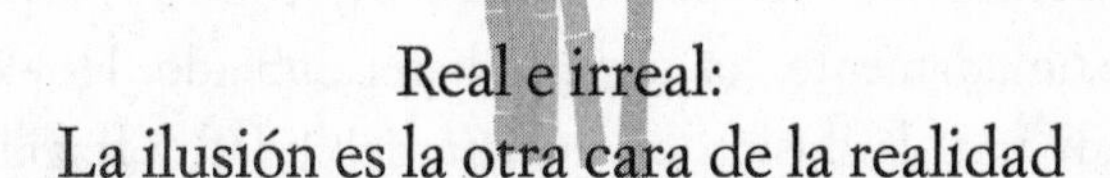

6

Real e irreal: La ilusión es la otra cara de la realidad

El título del sexto capítulo de Sun Tzu está formado por dos palabras, *si* y *xu*. *Xu* significa «irreal», «vacío», «ilusorio». *Si* significa «real», «sólido», «lleno». En la filosofía del Tao, que el maestro Sun estudió y siguió, lo que parece real puede ser irreal, lo que creemos lleno en realidad puede estar vacío, lo que se nos muestra débil de hecho es fuerte.

Tal como dijo Lao Tse, el filósofo más importante del Tao: «En este universo, podemos ver que algo es bello porque lo comparamos con algo feo». Lo bello y lo feo son dos caras de la misma moneda. La filosofía del Tao ve todo el universo como una ilusión engañosa. El mundo no es real, no es más que el sueño de lo divino, pero a los humanos nos lo parece. En el capítulo 6, Sun Tzu explora este argumento filosófico.

El mensaje más importante de este capítulo puede parecer que va en contra de tu intuición, pero es cierto: las ilusiones deberían desempeñar un papel principal en la realidad que creas.

Desgraciadamente, esta es una lección que las mujeres han aprendido a su pesar. A lo largo de la historia se ha representado a las mujeres de un modo erróneo y engañoso. No somos débiles, no somos excesivamente emocionales, no somos negadas para dirigir, pero durante miles de años así es como se nos ha visto. En algún lugar del camino, la ilusión se convirtió en realidad y la realidad de que somos igual de fuertes y estamos tan cualificadas como los hombres quedó en el olvido.

Afortunadamente, los tiempos han cambiado. Hoy en día podemos usar la ilusión de nuestra debilidad y fragilidad a nuestro favor haciendo que nuestros adversarios y enemigos nos subestimen. Como este capítulo revelará, en una batalla la verdad no es tan importante como lo que tu adversario cree que es verdadero.

No me refiero a la mentira (personalmente, no sé mentir y no creo que sea una buena práctica en los negocios), pero puedes dejar que las personas crean lo que quieren creer, particularmente si piensan que estás menos capacitada de lo que estás en realidad.

6.1. Una reconstrucción de la feminidad

Ser sin tener forma.

Según la filosofía taoísta, lo que ves, lo que tiene forma no es real. Lo que no puedes ver, lo que no tiene forma es la realidad del universo. Piensa en las partículas atómicas: no podemos verlas pero forman parte de la composición de los seres humanos y del mundo. De acuerdo con esta lógica, las «verdades sobre la mujer» que se han mantenido durante el pasado pueden considerarse irreales, es el momento de que nos «renovemos».

Como todas sabemos, un producto debe presentarse de manera que a primera vista la gente sepa exactamente qué es. ¿Es un coche de lujo o un vehículo asequible? ¿Un lugar de comida rápida o un restaurante de primera? ¿Una «película para llevar a tu cita» o una «para los amiguetes»? Normalmente, podemos contestar estas preguntas en un par de segundos, basándonos solo en la publicidad y la promoción del producto.

Podemos pensar en la mujer también como un «producto». Aunque es posible que sea el más engañosamente etiquetado y peor presentado en la historia. Nos han promocionado como inferiores y profanas, y se nos ha representado con todos los símbolos humillantes con los que la humanidad (y he elegido esta palabra de forma deliberada) pueda imaginar.

Primero aportaré un ejemplo que demuestra este aspecto (como si fuese necesario demostrarlo). Y después explicaré cómo podemos cambiar nuestra imagen.

El mito del bombero solitario

> La estratega diestra en el ataque lo es porque logra que el enemigo no sepa dónde defender; la estratega diestra en la defensa lo es porque logra que el enemigo no sepa dónde atacar.

Muchas personas creen que las mujeres no están preparadas para ser bomberos profesionales. «Incluso yo, alguien que opina que las mujeres pueden hacerlo casi todo igual de bien que los hombres, fijo el límite en los bomberos —le dije en una ocasión a un bombero jubilado de Nueva York después de una de mis conferencias—. Si me encontrase atrapada en un edificio en llamas, me sentiría menos segura si acudiese en mi ayuda una mujer bombero. Preferiría a un bombero fuerte y corpulento.»

Me respondió que estaba influenciada por la imagen hollywoodiense en la que un hombre musculoso entra corriendo en un edificio en llamas para salvar a la indefensa mujer, encogida en una esquina.

«Es casi imposible que una sola persona pueda rescatar a alguien de un edificio en llamas —me dijo—. Debido a que cada uno de nosotros lleva material muy pesado, trabajamos en equipo. Siempre que un bombero salva a una persona —prosiguió—, se debe al esfuerzo del equipo.»

¿Cómo pueden las mujeres corregir estas ideas equivocadas, así como el resto de ideas erróneas sobre el hombre y la mujer?

La respuesta: vendiendo al mundo una nueva imagen de la mujer.

Tenemos que presentar, constantemente, imágenes que contradigan esta visión; no solo la de la mujer bombero, sino la de la mujer líder, la mujer científica, la mujer atleta. Ya es hora de que aceptemos todos los aspectos que definen ser mujer. Por supuesto, algunas de las ideas que se plantean a continuación se adaptarán más a ti que otras. La cuestión es que cada mujer tiene diversos puntos fuertes a los que sacar provecho.

Ocho formas de «renovar» la feminidad

1. *Las mujeres son creadoras de belleza.* Sin las mujeres, el planeta parecería el apartamento de un soltero, olería mal y estaría sucio y mugriento. La leyenda cuenta que cuando el presidente Kennedy fue senador, antes de casarse con Jackie, en su apartamento en Washington a menudo la porquería llegaba hasta las rodillas. Aquí tenemos a un hombre que era un icono de la elegancia pero que era incapaz de mantener su apartamento ordenado.

Las mujeres necesitamos renovarnos como representantes de la belleza, el orden y la limpieza aquí en la tierra. El mundo necesita el toque femenino.

2. *Las mujeres somos las vigilantes de la luz de la humanidad.* Excepto en algunos casos, desde tiempos inmemoriales los hombres se han ocupado de batallas y guerras, mientras que las mujeres se han preocupado de la familia y del hogar, proporcionando la estabilidad necesaria para que perdurase la humanidad. Por supuesto, esto cambia en el momento en el que la mujer empieza a entrar en el mundo laboral, la política, la ciencia y el ejército; pero mientras avanzamos, no debemos olvidar de dónde venimos y cómo nuestros papeles anteriores nos son útiles para estar aún más preparadas como mujeres de negocios que nuestros homólogos masculinos. La luz de la humanidad se expresa mediante el amor, el cariño y los cuidados de la mujer. Ahora, en el siglo XXI, el siglo de la mujer, estas cualidades positivas son mucho más importantes en el mundo de los negocios puesto que salimos de una era feroz para adentrarnos en una de cooperación.

Sin armonía, amor, belleza y felicidad no habría humanidad de la que hablar. Al asegurar estas cualidades, las mujeres harán que la luz de la humanidad brille intensamente. Observad a Judy George, la creadora de una de las empresas de muebles más importantes del mundo: Domain. George quiso crear una tienda que no solo vendiese muebles de calidad para el hogar sino que también consiguiese que los clientes se sintiesen como en casa. Explica en su página web:

> Domain no solo vende muebles, quiere hacer realidad sueños [...] Durante mucho tiempo, he tenido una idea de cómo debería ser y qué debería transmitir una tienda de muebles. De modo que realicé una profunda investigación y entrevisté a muchos consumidores en todo el país para saber qué querían exactamente de una tienda de muebles. Me contestaron que les encantaban sus casas, pero que detestaban ir a comprar muebles. Se sentían frustrados y temían equivocarse y gastar demasiado, les desanimaban los largos plazos de entrega y los dependientes que solo pensaban en vender.

George unió este conocimiento a su idea, y nació Domain. Tras seguir algunas sencillas reglas que creó ella misma, incluida: «Siente el apoyo de quienes te quieren» y «No escondas tus sentimientos», George ha creado una tienda de muebles que muchas personas encuentran tan cómoda como sus propias casas.

3. *Las mujeres no se dan por vencidas.* En los negocios, la fortaleza interior y la habilidad para aguantar lo insoportable son primordiales para el éxito a largo plazo. (De los dos sexos

somos el más fuerte. Las mujeres toleran el dolor mucho más que los hombres, después de todo, somos quienes realizamos la tarea más dolorosa del mundo: dar a luz a un hijo. ¡La mayoría de los hombres probablemente abandonarían a medio parto!) Tienes que apelar a este poder de perseverancia cuando las cosas no van por el camino correcto.

Hace poco estuve en Lowe's, la cadena de tiendas de bricolaje y construcción para el hogar, buscando los azulejos adecuados para mi casa. Encontré en una estantería una caja del modelo que me gustaba, pero no había suficientes para cubrir el espacio del que disponía. Así que pregunté a tres dependientes si podrían conseguir más y los tres respondieron lo mismo: «Lo que tenemos está en la estantería». Entonces acudí a una dependienta cuyo nombre es Adriana Pittaluga. Después de decirle lo que buscaba, subió a una escalera muy alta y buscó detrás de otras cajas hasta que dio con una para mí. A continuación encontró otra tienda Lowe's en la que tenían más y les pidió que me las apartasen. Cuando le di las gracias me respondió con gravedad: «Las mujeres nunca nos damos por vencidas».

4. *Las mujeres son más sensatas que los hombres.* El sentido común es la herramienta más importante en los negocios cuando se toman decisiones que dirigen nuestras acciones diarias. Retomemos la cuestión del bebé durante un minuto. Una mujer lleva a su hijo durante nueve meses con mucha ternura, cuida de sí misma y de su nonato. Durante el embarazo, cambia su estilo de vida (come mejor y duerme más) y se priva de muchos placeres como el vino.

Pero las privaciones no concluyen con el embarazo o el

modo de cuidar a nuestra familia. La preservación y regeneración de la humanidad está anclada en el sentido práctico de la mujer y se extiende a nuestra vida laboral y personal diaria.

5. *Las mujeres son intuitivas.* Como sabes, la eficacia de *El arte de la guerra* de Sun Tzu está muy vinculada a la intuición individual. Las mujeres son intuitivas por naturaleza. Las aptitudes que en su momento aseguraron la supervivencia de nuestros bebés pueden aplicarse a infinidad de áreas de nuestra vida.

Siempre digo a los ejecutivos que cuando duden al adoptar una decisión, confíen en sus sensaciones o pidan consejo a sus esposas. La intuición innata de las mujeres aumenta nuestra habilidad para llegar a dominar el pensamiento estratégico de modo natural.

6. *Las mujeres son las guardianas de la Madre Tierra.* En el universo hay tres fuerzas fundamentales: la destrucción, la creación y el poder de conservación. Hasta ahora los hombres han demostrado su gran talento destructivo. Juntos, los hombres y las mujeres crean nueva vida. Pero siempre han sido las mujeres quienes han sustentado y alimentado la vida en todas sus formas. Nosotras siempre hemos aportado la energía mental y física necesaria para mantener nuestro entorno terrenal. Ahora usaremos el mismo poder para mantener nuestro entorno económico.

No hay mejor ejemplo que el de Anita Roddick, fundadora de The Body Shop, que tiene en la actualidad dos mil tiendas y atiende a unos ochenta millones de clientes en todo el mundo.

«Los negocios tienen el poder de hacer el bien —dice Roddick—. Nosotros utilizamos nuestras tiendas y nuestros productos para promocionar asuntos de derechos humanos y medioambientales. Para mí, hacer una campaña y buenos negocios también es proponer soluciones y no solo oponerse a las prácticas destructivas.»

Según su página web, The Body Shop lanzó su programa de comercio con las comunidades a finales de los años ochenta cuando Roddick empezó a entablar relaciones comerciales con proveedores de comunidades desfavorecidas del planeta. En la actualidad, con treinta y cinco socios suministradores de veintitrés países, The Body Shop continúa comprometida con el comercio como influencia positiva en el mundo.

7. *Las mujeres son fuertes.* En 1995, David Koch, un industrial multimillonario y ganador de la Copa América, reunió a la primera tripulación de mujeres para disputar esta competición, la más prestigiosa regata de vela del mundo. ¡Todos pensaron que estaba loco! Sus amigos le decían: «Las mujeres no son lo bastante fuertes, no están tan preparadas como los hombres y no son suficientemente inteligentes para competir. ¿Por qué derrochar el dinero?». La vieja guardia de los clubes náuticos solo hacía que reírse y poner en ridículo su equipo de mujeres.

Acabaron terceras.

Según David: «Si no hubiésemos incurrido en algunos errores básicos de estrategia, errores que no tenían nada que ver con el sexo, quizá podrían haber ganado. Estas mujeres eran extremadamente enérgicas. Después de entrenar durante un año, eran tan fuertes que ninguno de los hombres de los otros equipos se atrevía a medirse físicamente con ellas».

Es hora de dejar de pensar en la fuerza simplemente en términos masculinos. En algunos deportes (natación en aguas abiertas, maratón y gimnasia, por nombrar algunos) las mujeres superan con frecuencia a los hombres, porque por constitución nuestros cuerpos son más flexibles y resistentes. Pero no es suficiente, tenemos que luchar para cambiar la definición de «fuerza», que hasta la fecha se ha considerado una característica principalmente masculina.

8. *Las mujeres son competitivas.* Son muchos los que piensan que como por naturaleza somos compasivas y sensibles no somos competitivas, pero no es cierto.

Que seamos sensibles y tengamos empatía no significa que no disfrutemos con la emoción de la competición.

El problema no estriba en que no seamos competitivas, sino en que hasta hace poco no se nos ha permitido competir. No tenemos constancia de cuándo empezó a trabajar la primera mujer, pero no se puede negar que hasta las últimas décadas ninguna ha llegado al poder en la vida empresarial.

Y no se puede negar que hoy en día seguimos intentando ponernos al nivel. Por ejemplo, incluso en la música clásica (un campo que de entrada puede parecer que no es un club de hombres) está dominado de manera vergonzosa por los hombres. Según la revista *Time*, hasta mediados del siglo XX, «era extraño que las orquestas contratasen a instrumentistas femeninas y no hablemos de directoras de orquesta. En la Filarmónica de Viena todos eran hombres hasta 1997, cuando bajo la presión de la opinión pública al final se contrató a una arpista. Entre las setenta y cinco orquestas sinfónicas que existen en Estados Unidos solo hay tres mujeres directoras».

Afortunadamente, Marin Alsop no permitió que esta situación la desalentase. Alsop, a quien hace poco nombraron directora de la Orquesta Sinfónica de Baltimore, es consciente de que estamos ante un buen momento para que las mujeres se sitúen en el centro del escenario. Como primera mujer que dirige una orquesta importante, puedes imaginar que Alsop tuvo que enfrentarse a una dura competencia para llegar donde está, pero al conseguirlo ha contribuido a romper nuestros estereotipos. «Tenemos esa imagen arquetípica de cómo es un director, una persona inaccesible con acento extranjero y con un pañuelo en el cuello», decía Alsop en *Time*. Estamos en la era de la colaboración en lugar de la autocracia.

Es decir, estamos en el momento adecuado para el siglo de las mujeres, el siglo de la cooperación.

¿Una renovación de los medios de comunicación?

> Del mismo modo que el agua adapta su forma al terreno, el ejército adapta su estrategia de victoria al enemigo.

En una conferencia de prensa en Singapur le preguntaron a la ministra de Comercio Internacional de Malasia, Datuk Seri Rafidah Aziz: «¿Cómo puede compaginar las responsabilidades de su agotador trabajo y las obligaciones familiares?».

¿Cuál fue su respuesta?

«¿Por qué no le preguntas a Lee Kuan Yew [el fundador de Singapur, ex primer ministro y el hombre más influyente de la ciudad] cómo compagina su trabajo y las tareas de ser padre de sus hijos y esposo de su mujer? Su pregunta no merece una respuesta.»

Y con estas palabras Aziz dio por acabada la rueda de prensa.

La actriz Geena Davis tuvo una experiencia similar cuando salió en la CNN para promocionar See Jane, una empresa que fundó para intentar aumentar el número de personajes femeninos en la programación infantil. Page Rockwell escribió en el *blog* del diario *Salon* que cuando Davis intentó hablar de su trabajo en See Jane, la presentadora Kara Phillips dirigió la conversación hacia su «increíble marido». Como Rockwell observó con sequedad: «Quizá las entrevistas a mujeres requieren que se mencione a sus increíbles esposos y a sus maravillosos hijos junto al éxito profesional. Pero es una pena que [Davis] tuviese que hablar de su vida personal en lugar de hablar de su grupo de presión a los medios de comunicación en una entrevista que claramente trataba sobre ese tema».

Cuando una mujer es capaz de encontrar un equilibrio entre una carrera profesional de éxito y una vida familiar feliz se debería aplaudirla, pero no si con ello se eclipsan sus demás logros. Este es un desafío que deben proponerse los medios de comunicación.

Solo hay una solución ante este tipo de desigualdad al informar: antes de formular a una mujer la pregunta de cómo consigue el equilibrio entre su vida profesional y familiar, los periodistas deberían preguntarse: «Si fuese un hombre, ¿le haría esta pregunta?».

6.2. Tu transformación personal: permite que tu estilo apoye tu carrera

> El agua adapta su corriente a la forma del terreno.
> El guerrero da forma a su victoria según la dinámica del enemigo.

Tu primera línea defensiva y ofensiva es tu forma de vestir. No hace falta mirar más allá del tradicional traje de ejecutivo para recordar que el estilo de la indumentaria en los negocios lo diseñaron los hombres; las mujeres entrábamos en el dominio masculino como intrusas, camuflándonos en prendas que los hombres hacía tiempo habían decidido que eran apropiadas para los negocios. Con el paso de los años, aportamos nuestro toque y con creatividad transformamos el aburrido traje de ejecutivo según nuestro criterio (desde el clásico *tweed* de Chanel hasta el elegante traje pantalón de Prada).

Donna Karan ha observado con mucha habilidad que la ropa es una inversión. Está claro que es una buena forma de justificar sus precios, pero ¡sin duda hay algo de cierto! Aunque voy a matizar su comentario.

Las prendas en sí mismas no son una inversión; lo que hagas con ellas es lo que importa.

La cuestión es que puedes usar tu forma de vestir para conseguir tu propio objetivo profesional.

Estilo y sustancia

> ¡Sutil! Sutil hasta el punto de no tener forma. ¡Inescrutable! Inescrutable hasta el punto de ser inaudible. De este modo logra erigirse en dueña del destino del enemigo.

Piensa en el estilo y la sustancia como armas que puedes utilizar en tu lucha profesional. En el intento de ganar en las guerras sociales y económicas, las mujeres de mayor éxito se han dado cuenta de que la combinación de sustancia y estilo es invencible.

En el lugar de trabajo la sustancia es primordial, pero el éxito profesional no depende solo de ella, también depende de la percepción. Y tu forma de vestir desempeña un papel importante en cómo te perciben.

Puede que en realidad disfrutes vistiendo como una muñeca de trapo, con prendas que no hagan juego o que consideres que son la expresión personificada del feminismo; pero de ahora en adelante no olvides que de momento vives en un planeta en el que la ropa en el mundo de los negocios ha sido definida por los hombres.

Tendrás problemas para conseguir tus objetivos profesionales si tu jefe o tus clientes creen que no eres profesional.

El estilo es el envoltorio de un producto; la sustancia es el producto. Necesitas a ambos.

A menos que crees un envoltorio atractivo, nadie estará interesado en saber qué hay en el interior.

Muchas mujeres poseen más sustancia que estilo. La buena noticia es que es más fácil adquirir el estilo que la sustancia. Por ello, los programas de televisión de cambio radical son tan populares; con un asesoramiento adecuado toda mujer puede transformarse al instante. Sin embargo, conseguir la sustancia es más laborioso.

Como la mayoría de los capítulos de este libro se dedican al interior, ahora nos centraremos en por qué es importante cultivar un estilo agradable y cómo conseguirlo. Es más fácil de lo que crees. Como se suele decir: «No existen mujeres feas, sino perezosas».

El estilo es un adelanto de quién eres

El primer paso para realzar tu estilo es ser consciente de que todo empieza por gozar de buena salud. No insistiré lo suficiente en la importancia de comer bien, hacer deporte y cuidarse. Esto es particularmente importante cuando eres joven puesto que durante ese tiempo puedes continuar adelante aunque te saltes algunas horas de sueño, comas comida basura y no hagas ejercicio. Desgraciadamente, a medida que te haces mayor todo ello te pasa factura.

Pero lo contrario también es cierto: si te cuidas cuando eres joven, siempre parecerá que tengas menos años de los que en realidad tienes.

Aunque este no es el único motivo por el que vale la pena estar sana. En una sociedad como la nuestra, obsesionada por la salud, hay innumerables oportunidades para crear negocios que tengan que ver con el ejercicio, la dieta o la buena forma física. Tomemos por ejemplo a la gurú Denise Austin o a la famosa entrenadora Kathy Kaehler. Uno de los motivos por los que estas mujeres han tenido tanto éxito es que solo con verlas sabes que sus ideas acerca de la buena forma física y la dieta funcionan.

No necesitas haber nacido guapa y usar la talla 38 para tener estilo, porque no depende solo de la forma de vestir; también depende de la actitud, las expresiones faciales y el lenguaje corporal. Tu estilo proyecta quién eres y hacia dónde te diriges.

Puede que sea místico o difícil de definir, pero siempre obtienen recompensa aquellas que son lo bastante inteligentes para cultivarlo y poseerlo.

Sé tu propia estilista

No puedo decirte qué estilo es el apropiado para ti. Esto debes descubrirlo tú misma, pero una vez lo hayas descubierto puede servirte de carta de presentación. Anna Sui ha vinculado con tanta brillantez sus tiendas y el diseño del frasco de perfume a su estilo personal que es imposible ver el morado y el negro sin pensar en su vibrante línea inspirada en el rock and

Biblioteca Pública

4/21/2012

¡Gracias por utilizar el autoservicio!

Nombre del usuario
*******6024 AYALA DE CACHU, NANCY
ADRIANA

50000006344401
La conspiraci¢n de los ricos : las 8 nuevas
reglas del dinero
Fecha Vencimiento: 5/12/2012,23:59

50000006271620
El arte de la guerra para las mujeres
Fecha Vencimiento: NO VERIFICADO
Material status is MISSING. See Librarian.

Lunes 11am - 7pm
Martes 10am - 6pm
Miércoles 1pm - 6pm
Jueves 10am - 6pm
Viernes Cerrado
Sábado 9am - 5pm
Domingo 12pm - 5pm
Verificado/# Bloqueado
1 / 1

roll. Betsey Johnson también se ha hecho un nombre rompiendo todas las reglas con sus conjuntos de colores extremadamente vivos. Mientras algunos opinan que es exagerada, otros adoran su sentido de la diversión; sea cual sea tu opinión, no puedes dudar de su éxito.

Pero recuerda que Johnson trabaja en un sector en el que se premian las excentricidades. Si trabajas en un medio conservador y dominado por hombres (de momento, quizá en un futuro cambien las cosas) contén tu impulso de vestir como Betsey Johnson, a no ser que seas la propietaria de la empresa.

Encontrar el estilo que encaja en tu forma de vida supone realizar algunos experimentos y puede resultar muy costoso. Los asesores de moda y los creadores de imagen no son infalibles y tienes que pagar por las prendas, aparte de sus honorarios.

Tener estilo no significa seguir las tendencias sin más. Desarrolla una visión artística estudiando, leyendo, mirando escaparates y experimentando. (Puedes disfrutar haciéndolo.) Pero encuentra tu estilo porque siempre desempeñará un papel importante en tu vida.

El «código de vestir sin reglas»

> La lucha por la supervivencia dará origen a una nueva fuerza.

Durante algunas épocas de la historia, las mujeres llevábamos corsés tan ajustados que casi nos desmayábamos y teníamos que subirnos los pechos tan arriba que casi nos tocaban la barbilla. Todo ello para complacer las fantasías masculinas de qué aspecto debíamos tener.

Pero hemos trabajado duro y nos hemos ganado el derecho de vestir como deseemos, tanto si eso significa que quememos los sujetadores como que compremos braguitas a juego. La única regla sobre qué llevar hoy en día es que no existen reglas. Teniendo esto en cuenta, la próxima vez que te vistas debes pensar:

Vístete para lo que quieres ser, no para lo que eres.

Todo, incluida tu forma de vestir, debería tener un objetivo. Puesto que tienes que llevar ropa, asegúrate de que puedes sacarle provecho. Las prendas que llevas no solo dicen quién eres, también expresan qué quieres ser.

Todas queremos llevar ropa con la que nos sintamos naturales y cómodas. Pero si la vestimenta con la que te sientes más cómoda no es la apropiada para tu profesión, deberías pensártelo dos veces. Si te sientes más cómoda con prendas que marcan el pecho y muestran tus largas piernas y tu profesión te permite ir vestida de esa manera, no dudes en buscar una forma con estilo de hacerlo.

Sin embargo, si tu objetivo profesional es ser una jueza del Tribunal Supremo, llevar grandes escotes y minifaldas no te ayudará. Hay que sacrificar algo.

Para el diseñador Ralph Lauren, el estilo tiene que ver con la situación. Que tu ropa sea de buen o mal gusto depende de tus objetivos. Si quieres ser una cantante de rock, no parezcas una monja (a no ser que quieras tener un aspecto de «estoy tan fuera de la moda que estoy de moda»). Si quieres ser una directiva de una empresa financiera tradicional, quizá tengas que plantearte quitarte el *piercing* que llevas en la ceja o cubrirte los tatuajes.

Tu vestimenta tiene que serte útil

Tu vestimenta debe ayudarte a conseguir tu próximo objetivo. Pregúntate siempre: «¿Este estilo me acerca al objetivo que quiero conseguir?».

He visto a mujeres vestidas con zapatos y prendas baratas, con un pelo que solo se puede describir como un desastre, que se quejaban: «¿Cómo puede ser que no me asciendan?».

Tienes que caracterizarte antes de representar tu papel; los actores lo saben, por ello en las audiciones se visten como el personaje, para que los directores de reparto no tengan que imaginárselos en el papel.

Ayuda a los demás a que te vean como quieres que te vean. Cuanto más te parezcas al personaje, más posibilidades tendrás de conseguirlo.

Cómo conseguir que tu vestimenta y estilo te hagan ganar

1. *Transformar tu estilo es el primer paso para transformar tu carrera.* Cuando Katie Couric abandonó el programa *Today* de

la NBC para ser la principal presentadora de *Evening News* de la CBS, todas las miradas estaban puestas en ella, y no solo en su credibilidad como locutora, sino también en su papel como icono de estilo. En el artículo de Olivia Barker de agosto de 2006 en *USA Today*, los gurús del estilo se preguntaban cómo adaptaría su aspecto diario para el informativo de la tarde. Pero no esperéis que Couric se convierta en «una locutora sosa», dijo Stacey London, copresentadora del programa *What not to wear* del canal TLC. London apuntó que las seguidoras de Couric «querrán que mantenga cierta coherencia de personalidad y estilo, puesto que era querida por ello», y añadía: «Recordaremos y diremos que fue la primera en mostrarnos cómo una mujer puede vestir con mucho estilo» y seguir inspirando autoridad.

2. *Antes de abrir la boca, tu estilo habla por ti.* Arielle Ford es la publicista responsable de conseguir que algunas escritoras muy destacadas se hayan hecho famosas. Dice que cuando una escritora aparece en televisión, lo que vende libros no es lo que dice; en realidad, las ventas dependen totalmente de si gusta o no al público, una reacción que tiene que ver a menudo con el aspecto físico.

Es sabido que durante una entrevista de trabajo, el entrevistador decide si te contratará durante los primeros treinta segundos. Lo admitan o no, muchos directores no solo están sopesando tus capacidades cuando te entrevistan, también se preguntan: «¿Encaja esta persona aquí?».

El estilo habla por ti y de ti antes incluso de que tú abras la boca.

Se trata de vestirse para lo que quieres ser

Disfruta el período de transformación.

Después de leer este capítulo, puede que pienses que necesitas vaciar tu cuenta bancaria para comprarte las últimas tendencias. No. Aprende a combinar tus nuevas compras con lo que ya tienes. Sé creativa.

Asegúrate de que tus prendas revierten el dinero que inviertes en ellas. Recuerda este proverbio chino: «Los humanos dependen de sus prendas para tener estilo como la estatua de Buda depende del oro para glorificarse».

REFLEXIÓN

Piensa en alguien de tu oficina o empresa que admires por su estilo. Fíjate en alguien que esté en un puesto superior al tuyo. ¿Qué es lo que te gusta de su estilo? ¿Qué puedes aprender de su opinión sobre lo que es apropiado para ti mientras creas un estilo que sea acorde a la persona en que quieres convertirte?

____

____

____

____

____

____

____

____

____

____

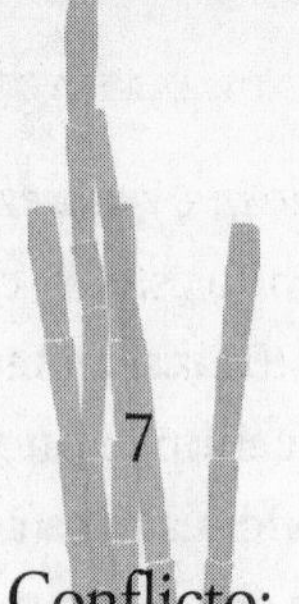

7

Conflicto: No muestres tu mano

Sun Tzu creía que la clave para alcanzar la victoria es conseguir que el enemigo muestre sus cartas lo máximo posible mientras que le ocultamos nuestros planes, capacidades y conocimientos.

Cuando hayas recopilado información sobre tu enemigo, utilízala para reforzar tu posición. No es necesario ser la primera en realizar un movimiento, pero adoptando esta táctica serás la primera en alcanzar el objetivo de protegerte a ti misma.

Muchas mujeres se sorprenden al saber que esta misma estrategia, con pequeñas modificaciones, se puede utilizar para superar dos obstáculos con los que muchas de nosotras nos encontramos inevitablemente: los celos en el trabajo y el acoso sexual.

7.1. Estrategias para superar los celos en el trabajo

Pondera los pros y los contras de entrar en acción.

Esta cita es una de las más conocidas de *El arte de la guerra* de Sun Tzu. La esencia de la frase es que no hay ninguna estrategia para todas las situaciones; cada una es única y hay que encontrar soluciones teniendo esto en cuenta. Como he mencionado anteriormente, estudiar las estrategias no consiste en encontrar fórmulas fijas y adoptarlas. Esta es la razón por la que las palabras del maestro Sun son tan ambiguas y dejan mucho espacio para la reflexión. Su estrategia no es una guía de conducta, se trata más bien de una guía filosófica para afrontar las infinitas posibilidades que existen en nuestra vida diaria.

Sun Tzu elaboró su pensamiento para estimular nuestra mente de manera que lleguemos a ser capaces de aprovechar las estrategias que hemos aprendido. De este modo conseguirás un conocimiento filosófico que te permitirá tomar decisiones rápidas cuando algo inesperado te suceda.

Si bien nuestras vidas individuales son distintas, en este capítulo nos centramos en una experiencia común a todas las mujeres trabajadoras: los celos en el trabajo.

Si trabajas en una oficina llena de maniobras, celos y puñaladas por la espalda, seguro que te has sentido como si estuvieses nadando en una piscina pequeña llena de tiburones hambrientos.

Y los tiburones más despiadados siempre son mujeres. Cuando ascienden a un hombre nunca les parece un problema, pero espera a que le den a una de sus hermanas el despacho de al lado. Nunca he podido entenderlo. He asistido y pronunciado cientos de conferencias para mujeres durante muchos años y he disfrutado en ellas; siempre están llenas de enérgicas muestras de afecto y apoyo. Pero parece que todos los buenos sentimientos que tenemos hacia las demás existen solo en entornos artificiales en los que no hay ninguna amenaza, como una conferencia. Cuando se acaba el fin de semana y regresamos al trabajo, vuelve el hambre feroz.

He presenciado este comportamiento una y otra vez, desde Australia hasta Europa, en Estados Unidos y por todo el Pacífico. Es un comportamiento que sobrepasa fronteras culturales y geográficas. Da igual hacia dónde mires, siempre ocurre lo mismo. Puede que, superficialmente, seamos amables las unas con las otras, pero de algún modo nos parece necesario pisarnos, como si formara parte de una ley no escrita de competencia en el trabajo.

He aquí un ejemplo de lo que pasó recientemente en uno de mis talleres para mujeres cuando pregunté a las más de mil ejecutivas que asistían: «¿Quién es el enemigo?».

Las respuestas fueron, en este orden:

– Yo
– Las demás mujeres
– Los hombres

No es de extrañar que el 80 por ciento de los cargos ejecutivos los ocupen hombres y solo el 20 por ciento mujeres.

El síndrome de los cangrejos en la olla

En el esfuerzo por mantener a las otras abajo, las mujeres parecemos haber caído en lo que yo llamo el síndrome de los cangrejos en la olla.

Cuando cocinas cangrejos, no hace falta poner la tapa a la olla porque se impiden la salida los unos a los otros. Si un cangrejo se acerca al borde de la olla e intenta salir, otro lo tirará hacia abajo en su propio intento de escapar. El resultado es que todos mueren.

Forma parte de la naturaleza humana sentir celos o envidia de aquellas a las que les va mejor que a nosotras en el juego de la vida.

Solo las santas y las idiotas se libran de este tormento. Pero el fuego de los celos consume nuestra paz mental.

Aunque no tiene que ser así. En la historia hay innumerables ejemplos de mujeres que han llegado a lo más alto porque han ayudado a otras mujeres a dar lo mejor de sí mismas.

Por ejemplo, a principios del siglo XX la guionista Frances Marion se trasladó a Nueva York, que entonces era la capital mundial del cine, para triunfar. Mary Pickford, la mayor estrella de la época, reconoció inmediatamente su talento e insistio en que Frances dirigiera su siguiente película. El estudio se resistió, pero Pickford les envió un ultimátum: si no dejáis que Frances Marion la dirija no habrá próxima película.

Con el apoyo de Pickford, Marion se convirtió en una directora de cine pionera. Durante su carrera en la industria del cine, Marion a su vez ayudó a muchas otras (entre ellas Greta Garbo) a convertirse en estrellas. Muchas mujeres han sido y serán siempre de gran ayuda para otras mujeres.

Pero eso no quiere decir que no vayas a encontrarte con algunos cangrejos en tu búsqueda del éxito.

Estrategias para superar los celos en el trabajo

> El éxito de la acción militar está profundamente enraizado en el engaño.

Si tienes problemas con desagradables criaturas cangrejo en el trabajo, prueba estas estrategias.

1. *Da la impresión de que estás fuera de la olla.* Esta idea se fundamenta en la concepción esencial de Sun Tzu de que el éxito en una acción militar se basa en el engaño, en confundir a tus oponentes.

No quiero que pienses que el maestro Sun pretende decir «mentir» cuando habla de «engaño». Hay significados más profundos en el concepto de engaño que es importante tener en cuenta. Si comprendes el verdadero espíritu del engaño podrás adoptar y traducir este poderoso concepto en acciones efectivas sin ser malintencionadamente mentirosa con los demás.

Para Sun Tzu, el camino más fácil hacia la victoria se halla en la capacidad de confundir al enemigo. Consiste en manipular lo real y lo irreal para camuflar tu fuerza y tu debilidad. Puedes fingir debilidad para jugar con la reacción del oponente; cuando este no pueda calibrar cuál es tu debilidad, controlarás su destino.

Para la concepción occidental, el bien y el mal, el blanco y el negro suelen estar claramente divididos. O eres bueno o malo, o aciertas o te equivocas, o eres superior o inferior. Sin embargo, en la mentalidad oriental todo es relativo y no absoluto; nada es puramente malo o bueno. Se puede usar un cuchillo para sanar pero también puede matar. El mal no está en el cuchillo sino en la intención de quien lo maneja.

Por esto, aunque el símbolo taoísta es un círculo mitad blanco mitad negro, en la parte blanca hay un pequeño círculo negro y viceversa. Vivir en una despreocupada ignorancia no es ser feliz y ser la víctima de los demás no es una muestra de virtud. El engaño es una buena arma de autoprotección.

Igual que los cangrejos solo pueden agarrar a los que están en la misma olla, la gente solo puede dirigir sus celos hacia ti si les permites que estén cerca de ti. Cuanto más cercana te sea una persona, más posibilidades habrá de que tenga pensamientos destructivos hacia ti, así que asegúrate de que mantienes la suficiente distancia mental y física de los cangrejos agresivos que te rodean. No te expongas a su crueldad convirtiéndote en una «colega» o siendo demasiado amistosa con los demás trabajadores de tu oficina. Cuanto más amistosa seas, más te parecerás a un cangrejo en su misma olla.

Si eres agradable pero mantienes cierta distancia, crearás al mismo tiempo una sensación de misterio y la ilusión de que estás fuera de la olla.

2. *Golpéala dos veces la primera vez que se pase de la raya.*

> Mantén tus planes insondables como la oscuridad;
> cuando te muevas, sé ágil como el trueno y el relámpago.

Aunque la Biblia dice que hay que ofrecer la otra mejilla cuando nos maltraten, también habla del ojo por ojo. Esta es la parte en la que hay que concentrarse cuando se trata de los celos en el trabajo. Tienes que detener los ataques de raíz; en vez de ofrecer la otra mejilla, golpea al infractor dos veces (metafóricamente, claro) y no tendrás que vértelas con una situación que con el tiempo podría escapársete de las manos. Cuando golpees con tus palabras, asegúrate de que tu espíritu sea firme, poderoso e inamovible como una montaña, sin rabia. Y nunca alces la voz.

3. *Apoya a una compañera.*

> La dificultad del enfrentamiento militar radica en convertir lo sinuoso en directo y la adversidad en ventaja.

Si apoyas a una compañera, conviertes eficazmente el problema de la competencia en una ventaja para tu carrera profesional. Ayuda a esa mujer brillante y llena de talento que trabaja para ti. (Sí, la que hace que te sientas amenazada.)

La razón es la siguiente: incluso si no la apoyas, si tiene capacidades innatas, prosperará de todas maneras. Quizá la promocionen antes que a ti o quizá te encuentres trabajando para ella en otra empresa dentro de unos años. Negarse a reconocer su talento y a ayudarla a desarrollarlo te hará parecer mezquina, celosa y alguien que se siente amenazada fácilmente. Es algo que tu jefe notará ahora y que la estrella emergente recordará luego.

Aunque no acabéis trabajando juntas, puede que ella se sienta frustrada por tus intentos de frenarla y se vaya a trabajar para la competencia. Si es tan buena como temes, podría acabar apoderándose de tu negocio.

Vanessa era la editora jefe de una revista para mujeres en la que Amy trabajaba de editora. Vanessa hizo todo lo posible para intentar evitar que se reconociese el extraordinario talento de Amy, que al final ya no pudo más y a regañadientes aceptó un empleo de editora jefe en una revista para mujeres más pequeña que acababa de salir al mercado.

Seguro que adivinas el final. Cinco años más tarde, la publicación de Vanessa estaba en apuros y la vendieron a la compañía matriz de la revista de Amy. Poco después echaron a Vanessa y ahora trabaja en un puesto mucho menos prestigioso cobrando solo una parte de lo que ganaba antes.

Arriésgate y apoya a otra mujer. Si haces lo correcto puede incluso que salves tu propio pellejo. No obstante, actúa con prudencia: no pidas su «agradecimiento» instantáneo. Si lo haces, habrás perdido porque ya habrás recibido tu pago. Si dispensas tu apoyo incondicional, el «pago» te será devuelto con generosos intereses.

4. *Aprende a recoger los dulces frutos del árbol de los celos en el trabajo.* Como nos dice Sun Tzu en su frase del capítulo 3, es de vital importancia dominar el arte de utilizar métodos indirectos para conseguir un objetivo directo.

La primera y principal meta en nuestras vidas no es que nos asciendan o ganar más dinero, sino ser el mejor ser humano posible. Pero la única forma de conseguirlo es por métodos indirectos: las lecciones y los sufrimientos que recogemos a lo largo de nuestra vida.

Como el gran filósofo chino Mung Tzu dijo: «Cuando el universo quiere glorificar a una persona, esta tendrá que pasar primero por privaciones extraordinarias en cuerpo, mente y alma. Entonces estará preparada para asumir grandes retos». Todos los intelectuales asiáticos adoptan este principio. Nada de lo que nos sucede es malo si sabemos exactamente cómo recoger los dulces frutos de las lecciones. Nada sucede por accidente, si te ocurre algo desagradable es la manera que tiene el universo de decirte dónde necesitas cambiar y refinar tu carácter. Por medio de los intentos y los errores fortalecemos nuestro espíritu y expandimos nuestra capacidad de tolerancia. Al final, cualquier episodio de celos en el trabajo será como una hormiga caminando sobre tu mano. Te lo quitarás de encima fácilmente con tu mente. Cuando quien te quiera atacar no lo consiga por mucho que lo intente, le habrás quitado toda la diversión de su cruel juego y todo el poder. Esta es la mejor manera de gestionar las envidias en la oficina.

Transforma la envidia en admiración

En tu camino hacia la cumbre siempre habrá mujeres que intentarán tirar de ti hacia abajo. No importa lo malintencionadas que sean; mientras te concentres en tu visión interior y te veas como la mujer innovadora, adaptable y creativa que eres ninguna persona o circunstancia podrá retenerte.

Como grupo, las mujeres tendríamos que espabilarnos. Es por nuestro propio interés por lo que tenemos que ayudar a otras mujeres a que salgan de la olla de agua hirviendo, para que puedan ayudarnos a escapar al resto.

Es normal sentir resentimiento cuando vemos a alguien que

es mejor o tiene más éxito; supéralo. Utiliza sus fantásticos logros para marcarte metas que están más allá de tus capacidades.

REFLEXIÓN

¿Hay alguien en tu oficina a quien le tengas envidia? ¿Cómo puedes convertir tus sentimientos negativos en positivos?

¿Qué hay en él o en ella que admires?

¿Qué lecciones podría darte esta persona sobre la forma de trabajar?

___

___

___

___

___

___

___

___

___

___

___

___

___

___

___

___

___

___

7.2. Pisa fuerte con tus zapatos de tacón: cómo tratar el acoso sexual

> No interceptes un enemigo cuyos estandartes están rectamente alineados; no te lances al ataque sobre un enemigo cuyas formaciones están disciplinadamente ordenadas. Este es el modo de controlar las condiciones cambiantes.

Sun Tzu escribe una frase parecida a la anterior en el capítulo 4. «Si las fuerzas no son suficientes se opta por la defensa, mientras que se ataca cuando aquellas sobran.» Lo que quiere decir es que nunca debes enfurecer a un oponente poderoso.

Si estás en la parte baja del organigrama de una empresa (la definición misma de estar en una posición inferior) y te tratan mal, no puedes hacer mucho más que adoptar una postura defensiva e intentar protegerte. (En breve explicaré lo que quiere decir esto.) Si consigues evitar que te hagan más daño, considéralo una victoria. Tendrás que esperar a ser más fuerte antes de poder buscar justicia.

A pesar de todo lo que hemos avanzado y de todas las leyes que se han promulgado, el acoso sexual está por todas partes en el lugar de trabajo. No importa cuántas leyes se hagan para proteger a las mujeres, siempre habrá hombres lamentables que se sienten poderosos diciendo y haciendo vulgaridades de carácter sexual.

«No conozco a ninguna mujer trabajadora que no haya experimentado algún tipo de acoso sexual —dice Ellen, la vicepresidenta de operaciones en Europa, Oriente Próximo y África de una empresa que se halla entre las cien mejores según la revista *Fortune*—. Cuando estaba en la universidad, trabajaba en unos grandes almacenes a media jornada. Una vez mi jefe me preguntó: "¿Cuándo descubriste tu clítoris?".

»Al llegar a casa me puse a llorar. Necesitaba el dinero desesperadamente para pagar la facultad, así que no podía dejar el trabajo, tenía que tragar. Intenté evitar a mi jefe durante todo el tiempo que continué allí.

»Entré en otra empresa después de graduarme. En mi primera reunión como miembro del departamento casi exclusivamente compuesto por hombres, mi director general se levantó y dijo: "Quiero presentaros a Ellen. Estoy encantado de que se haya unido a nosotros".

»Continuó hablando de mi currículum, y pensé que era afortunada de que intentara facilitarme una buena entrada. Yo estaba sentada en la parte posterior de la sala y me pidió que me levantara para que todos pudieran saludarme. Soy modesta, así que me levanté y me senté rápidamente.

»Me pidió que me levantase de nuevo y dijo: "Ya veis por qué estoy tan contento de que se haya incorporado a nuestra empresa, la verdad es que está muy buena".

»Lo que estaba diciendo delante de doscientos cincuenta hombres era:

1. Es una mujer atractiva.
2. Me alegro de que esté aquí porque es atractiva.
3. Os doy permiso para que penséis de ese modo sobre ella.

»Podría contarte quince historias como esta. En aquellos días no teníamos ningún tipo de ayuda contra la humillación sexual.»

Afortunadamente, hoy en día la tenemos. Las mujeres como Ellen han allanado el camino a las mujeres más jóvenes, aguantando este tipo de experiencias humillantes y finalmente haciendo algo al respecto.

«Cuando me hice un poco mayor y subí en el organigrama, empecé a hablar con este tipo de imbéciles. Les explicaba que su comportamiento me creaba problemas y que si se lo hacían a otras mujeres también les crearían traumas.

»Luego añadía: "Tienes suerte de que no sea una persona a la que le gusta poner demandas" y que hay mujeres que verían en esto una oportunidad no para educar sino para llevarlo a los tribunales.

»Así les dejaba claro que:

1. No me hagas esto.
2. Te estás arriesgando con otras mujeres.
3. Como persona de cierta responsabilidad en esta empresa, tu deber es dar ejemplo.

»Curiosamente, cuando llegué a directora ejecutiva y a vicepresidenta, este tipo de comportamientos cesaron. Cuando una mujer llega a cierto nivel, los hombres saben que no tienen que meterse con ella porque tiene el poder de ir a por ellos.

»La gente me mira y piensa: "Es poderosa, ha tenido éxito en una compañía de ingeniería dominada por hombres". Pero lo que no saben es que hay un lugar en mi corazón que está lleno de rabia por los muchos años de acoso sexual que tuve que soportar. Para triunfar sabía que no podía demandar a nadie, que tenía que tragar. Al final, tanto aguantar me ha servido para obtener lo que esperaba conseguir.»

Hasta que no indiques a los hombres la conducta que te parece ofensiva, seguirán actuando de ese modo. Si se lo dices no hay ninguna garantía de que las cosas cambien, pero si no lo explicas te garantizo que no cesarán.

Cuando estás abajo en la pirámide

Ellen ascendió profesionalmente gracias a que aguantó el dolor. Afortunadamente, tú no tienes que hacerlo.

1. *Guarda informes detallados.*

> Las expertas en defensa se ocultan bajo las profundidades más remotas de la tierra; las expertas en ataque actúan desde lo alto de las esferas más elevadas del cielo. De este modo es posible protegerse y alcanzar una victoria total.

En la frase que encabeza el punto 7.2, Sun Tzu nos aconseja no provocar a un adversario fuerte. Así que antes de lanzarte a la ofensiva, asegúrate de que no puedes perder; las acciones defensivas vienen antes que las ofensivas. Poseer un detallado informe de las acciones del agresor y de tus experiencias con él es como esconderse debajo del noveno nivel (profundo) de la tierra. Esta puede ser una herramienta efectiva para mantener tu buena reputación a resguardo de sus ataques cuando lo lleves ante la justicia. El informe también es un arma ofensiva.

Tras un taller de tres días en Australia una mujer se me acercó llorando desconsoladamente. Me agradeció lo que acababa de decir sobre cuál es la mejor forma de enfrentarse a la conducta inapropiada de los hombres y me contó que estaba luchando contra una de las mayores empresas australianas por acoso sexual. Después de tres años agotadores, durante los cuales sufrió constantes dolores de cabeza que la debilitaban, ganó el caso. La única razón por la que lo consiguió fue porque guardó constancia detallada, con fechas y horas, de los detalles concretos del acoso.

También pudo probar, gracias a su historial médico, que cuando la acosaban sufría terribles dolores físicos. Sin estas informaciones nunca hubiese conseguido ganar.

Incluso si decides no poner una demanda, guarda siempre informes de cualquier situación que te haga sentir incómoda o amenazada, nunca se sabe cuándo pueden ser de utilidad.

2. *Ten preparado un currículum dinámico.* Cuando el padre de Sun Tzu fracasó en su intento de derrocar a las familias gobernantes en Chi, Sun se fue a Wu a esconderse. Pasó veinte años escribiendo *El arte de la guerra.* Tú también deberías preparar un currículum antes de enfrentarte a un oponente fuerte.

Después de contar con claridad la conducta que encuentras ofensiva y de haber documentado cuándo ocurrió, es momento de empezar a buscar otro trabajo. Incluso si el hombre en cuestión se ha disculpado, no quiere decir que todo vaya bien, puede que encuentre una ocasión para vengarse.

3. *Imita el poder de la naturaleza.*

> Muévete veloz como el viento; majestuosa como el bosque; devastadora como el fuego.

Esta es la descripción de un ejército poderoso o de un individuo que se valora.

El acoso sexual se entromete en tu intimidad mental y física, aunque actúes para acabar con él. Es cierto que tienes derechos y que las leyes te protegen, pero muchas veces aunque ganes el caso pierdes. Algunas empresas tendrán miedo de contratarte. Los colegas te aplaudirán en privado por tu valentía, pero sabiendo que eres «problemática» y que no tienes miedo a poner demandas, es posible que tiendan a mantener cierta distancia.

Además, aunque pongas todo tu esfuerzo en el caso es posible que pierdas.

Cuando se tiene un sentido claro de quién se es y una fuerte autoestima, aunque pierdas la demanda sabes que nunca serás menos persona por ello y que el acoso sexual nunca puede destruirte.

4. *El acoso sexual no destruirá tu vida a menos que se lo permitas.* Ninguna vida queda destruida porque alguien te dé un golpecito en el hombro o en el culo. Es doloroso y humillante, pero no escuches a los medios de comunicación, están desesperados por encontrar a la siguiente víctima. La realidad es

que esta conducta es resultado de la crueldad o ignorancia de alguien. Depende de ti que seas una «mujer fuerte» y lo superes.

El acoso sexual no puede disminuir o dañar tu autoestima a menos que se lo permitas.

---

5. *No pierdas el sentido de la medida.* Los cumplidos sinceros no son acoso sexual. Decir «¡qué blusa tan bonita!» no es lo mismo que «me encantaría ver cómo te queda una camiseta mojada». Si tu compañero ha actuado con elegancia, lo mejor es tomárselo bien. ¿Por qué interpretar que sus intenciones son amenazantes cuando puede que sean totalmente inocentes?
6. *No te salgas de tu camino para empezar una guerra.*

> Todo enfrentamiento militar puede resultar tanto beneficioso como peligroso. Si para disputar una ventaja te precipitas caminando a marchas forzadas durante cien millas, las tres generales del ejército podrían ser capturadas, los hombres más fuertes llegarán antes y los débiles tarde, con lo que solo uno de cada diez alcanzará el objetivo. Esto podría dejar a tus mandos expuestos a la captura.

Como Sun Tzu nos dijo en el inicio de su libro: «La guerra es un asunto muy serio». Y también lo es una demanda por acoso sexual. El maestro Sun nos dice que no nos salgamos de nuestro camino para empezar una guerra en busca de beneficios. El coste puede ser demasiado alto, aunque ganes podrías convertirte en una perdedora.

Durante el juicio, tu mente tiene que estar sufriendo, para convencerte a ti y al juez de que eres una persona permanentemente herida, y para justificar el cobro de una indemnización económica. De este modo, te convertirás en una persona constantemente herida. No hay cantidad de dinero suficiente para compensar la pérdida de la alegría de vivir. Es tan estúpido como una general que solo tiene en cuenta lo que puede ganar sin considerar las posibles pérdidas.

Investiga antes

Aunque este libro no quiere ser un manual sobre cómo tratar el acoso sexual, puedo indicarte algunas fuentes:

Mtas.es puede proporcionarte respuesta a muchas de las preguntas que más a menudo debes de hacerte. Consulta en: www.mtas.es/insht/ntp/ntp_507.htm

Imrm.es es otra de las páginas web que te puede ser de ayuda. Consulta en:

http://imrm.es/UPLOAD/DOCUMENTO/manual%20acoso%20sexual.pdf

Y aunque el consejo que mucha gente te dará es: «Si crees que has sido víctima de discriminación sexual, contacta con el colegio de abogados de tu zona y pídeles una lista de especialistas en esta rama del derecho», no creo que sea una buena opción. No sabes si esos abogados son buenos o no.

Creo que es mejor investigar un poco. Busca a una demandante que haya ganado en un caso semejante al tuyo y averigua quién era su abogado o abogada.

Pero recuerda: no empieces una guerra a menos que tengas que hacerlo.

8

Imaginación: Ve cosas que nadie ha visto

El capítulo 8 de *El arte de la guerra* de Sun Tzu anima a las generales de cualquier parte a que sean innovadoras y se adapten, a que olviden las filosofías que han existido anteriormente y a que sean siempre flexibles ante los cambios.

La frase «usa tu imaginación» es hoy en día tan habitual que olvidamos que la creatividad no siempre fue admirada. En la época de Sun Tzu, hace dos mil quinientos años, era un concepto radical. Por ejemplo, la estrategia convencional en tiempos de guerra en esa época era conquistar y destruir a discreción. El maestro Sun vio la locura de esta estrategia bélica y propuso un enfoque más táctico:

> Hay senderos que no deben ser recorridos, ejércitos que no deben ser atacados, fortificaciones que no deben ser sitiadas, terrenos que no deben ser disputados y órdenes del soberano que no deben ser obedecidas.

El maestro Sun era capaz de ver cosas que hasta entonces nadie había visto porque no pensaba de forma convencional.

Tú también puedes hacerlo utilizando al máximo tu imaginación.

Veamos cómo.

8.1. Transforma ese cachorro tristón en una musa

La fragilidad tiene su valor.
La brutalidad tiene su lugar.

TAI GONG WONG,
maestro de Sun Tzu

El capítulo 8 de Sun Tzu ha desconcertado a los eruditos durante siglos. El título está formado por los dos caracteres chinos para «nueve» y «cambios». Pero en el texto, se mire donde se mire, ¡no se encuentra nada nueve veces! Los estudiosos al final han determinado que el «nueve» se usa como símbolo del «infinito», puesto que es el número mayor en la numeración china.

El maestro Sun creía en el uso de tácticas creativas e innovadoras para superar el infinito número de desafíos que se producen en el campo de batalla. Del mismo modo, tú debes usar la imaginación para pacificar la guerra interior en tu mente y tu carácter voluble.

¿Cuando empezó todo el mundo a obsesionarse con estar alegre y ser positivo y feliz todo el tiempo? En nuestra cultura ofuscada por la felicidad, incluso la ausencia de una sonrisa puede hacer pensar a los demás que hay algo raro en ti. Pero lo peor es cuando esta obsesión nos afecta a nosotras mismas.

Los seres humanos podemos sentir cientos de emociones distintas y no todas son de alegría. Cuando nos obligamos a estar contentos constantemente, nos exponemos a la autocrítica y a un perpetuo estado de infelicidad, puesto que es imposible alcanzar ese listón. Nadie puede. Conozco a muchos conferenciantes y escritores de libros de autoayuda que cuando se alejan de los focos son más miserables que tú o yo.

Sun Tzu nos advierte contra el exceso y nos explica que el comportamiento extremo (incluso el bueno) siempre llevará a un ejército a la derrota. Si siempre intentas complacer a todo el mundo o estar alegre a cualquier precio, crearás tu infelicidad. Hasta las buenas intenciones pueden tener malas consecuencias.

Así pues, ¿qué hay que hacer cuando te sientas triste, infeliz o apática? Utiliza esas emociones. Nada en la vida se malgasta, solo tienes que saber cómo transformar esos sentimientos en fantásticas oportunidades.

Cuando te sientas triste o decepcionada piensa en un cachorro tristón con el que hay que jugar, y antes de que te des cuenta el cachorro se transformará en una musa, llena de inspiración y creatividad.

Convertir momentos tristes en oportunidades de oro

1. *Reconócelos*. Eres humana y los humanos tenemos días malos, así que tendrás días malos. Empieza por aceptarlos.

2. *Rejuvenece.* No es casualidad que haya cuatro estaciones. En invierno la tierra descansa para preparar el renacimiento de la primavera. Los árboles pierden sus hojas, los osos hibernan. Menos mal que a los osos no les animan a que sigan cursos de motivación. Si lo hicieran, se dirían justo antes de caer en su profundo sueño, con su «sabiduría» recién aprendida: «Levántate, levántate, maldito holgazán». Indecisos entre obedecer su ritmo natural y comportarse como «deberían», cuando llegase la primavera los pobres osos estarían exhaustos y perecerían.

Los seres humanos también somos parte de la naturaleza y estamos por tanto sujetos a sus ciclos. El descanso no es un lujo, es una necesidad.

3. *Entiende el poder de la calma.* Cuando cambies de una actividad o estado emocional a otro siempre experimentarás un estado de transición, por muy corto que sea. En la naturaleza podemos encontrar numerosos ejemplos, como el agua, que antes de hervir está calma. Si no hay reposo, no hay agua hirviendo.

Estar en reposo no es lo mismo que no hacer nada. Te permite reunir las fuerzas necesarias para realizar una actividad. Todos hemos experimentado momentos de extraordinaria productividad precedidos por un período de calma. Antes de empezar un gran proyecto, como escribir un libro, necesito dedicar tiempo a mí misma. Sé cuándo he acumulado suficiente inspiración porque me siento como si estuviese a punto de hervir. Ese es el momento en que puedo avanzar capítulo a capítulo.

Todas tenemos una manera diferente de reposar. Puede

que te eches en la cama y leas un libro, que veas la televisión, que navegues por internet, que te dediques al jardín o que cocines. Sea lo que sea, permítete ser «improductiva». Todas necesitamos reposar de vez en cuando; nos da fuerzas para convertirnos en creadoras sin límites y en innovadoras entusiastas.

4. *Respeta tus momentos de tristeza.* Parte de ser creativa consiste en experimentar momentos de tristeza; lo que hagas con esos períodos es lo que marcará la diferencia. Respeta tus momentos de tristeza. ¿Cómo? Es fácil, simplemente acéptalos sin juzgarlos. (No me refiero a una depresión. Si estás luchando contra una depresión profunda necesitas la ayuda de un profesional.)

Pero si solo te sientes infeliz de vez en cuando, es importante que respetes esos períodos. Acepta lo que es natural. No puedes luchar contra los ciclos de la vida; si lo haces solo te sentirás desdichada.

No te preocupes si te sientes triste de vez en cuando. Es la forma que tiene la naturaleza de decirte que descanses y reflexiones.

La frustración es la madre de toda creatividad

La frustración es un momento de tristeza que dura cierto tiempo. Desgraciadamente, no desaparecerá hasta que arregles el problema subyacente que es la fuente de tu infelicidad.

A menudo descubrirás que no te has esforzado en conseguir todo lo que eres capaz de lograr. Tu subconsciente sabe cuándo deberías estar haciendo más, escucha lo que tiene que decirte.

Puedes hacer dos cosas con tu frustración:

1. No hacer nada. (No te lo recomiendo.)
2. Convertirla en gasolina para el motor de tu creatividad.

Si escoges la opción 2, tu frustración puede ser una fuerza motivadora para cambiar tu vida. Si se mira de esta forma, la frustración puede ser algo muy positivo, sin lugar a dudas.

Y esta es la razón: la creatividad y la innovación son hijas del sentimiento de frustración del espíritu. Cuando te sientas así, él buscará formas de mejorar su situación encontrando un mejor canal mediante el cual expresarse. Vi una entrevista en la televisión en la que el marido de la actriz Bette Midler, Martin von Haselberg, explicaba que su mujer es la persona que conoce que más se angustia por todo. El humorista Jerry Seinfeld dice siempre que necesita vivir en Nueva York porque la irritación constante que le provoca vivir en esta ciudad es un catalizador para su humor.

Nadie quiere vivir en una agonía constante, claro está, pero es en estos momentos difíciles en los que el espíritu se redefine a sí mismo. Los escritores, pintores, arquitectos, poetas, compositores y humoristas no pueden crear arte sin ella.

Acepta los ciclos de subidas y bajadas

Los ritmos naturales de las mujeres (la fluctuación entre momentos de subida, bajada y vuelta a empezar) son más cíclicos que los de los hombres. En vez de luchar contra ello tendríamos que explotar sus aspectos positivos. Hasta el saltador de altura tiene que doblarse para poder impulsarse hacia arriba. Los ciclos existen en todas partes.

Cualquier empresario o empresaria conoce los ciclos de venta; incluso la mejor vendedora del mundo tiene momentos de sequía. Cuando esté pasando por uno de estos períodos, indudablemente recibirá críticas. ¿Ha perdido el tono? ¿Será capaz de recuperarlo? Para muchas de nosotras, el mero hecho de saber que otros nos están juzgando es mucho más angustioso que la ausencia de ventas o elogios.

Pero aclaremos algo: todo el mundo tiene malos momentos, también forman parte del ciclo natural. Culparte solo te hará menos eficiente.

Durante un retiro en el extranjero con los mil mejores vendedores de una empresa considerada entre las cien mejores por la revista *Fortune*, dije a los presentes que tenían mi permiso para tener un período malo durante el año siguiente; hubo un suspiro colectivo de alivio audible en toda la sala. Incluso estos grandes vendedores habían sufrido secretamente el dolor causado por meses de resultados fluctuantes.

Cuanto antes aceptes que habrá períodos malos, más fácil te resultará recuperarte.

En los momentos de baja productividad aprovecha la ocasión para tomarte unas vacaciones, aunque solo sea un par de días de relax para olvidarte del trabajo. El cambio de entorno te ayudará a transformar tu estado mental. «Desconectarte» te ayudará a renovar el entusiasmo en tu trabajo cuando vuelvas.

Estos períodos bajos son una gran oportunidad para recuperar sueño perdido, para la lectura, para dedicarse a la jardinería, a las obras en casa y a todas las pequeñas cosas que tienes que hacer en tu vida fuera del trabajo. Cómo pasamos los períodos tranquilos tiene una influencia directa en nuestra eficiencia en los momentos estresantes.

Acepta los «nueve cambios» de humor

No todas las experiencias en tu vida van a ser buenas, pero puedes usar las malas y las emociones negativas para conseguir fines positivos.

Si tu objetivo es triunfar en cualquier cosa que te propongas, tienes que aprender a usar todas las experiencias, incluidos la rabia, el miedo, la vergüenza, el deseo, la avaricia, los celos, la preocupación, la ansiedad o el odio. Coge lo que no puedas cambiar y utilízalo en tu beneficio.

REFLEXIÓN

Haz una lista de alguno de los estados de humor «negativos» que a menudo experimentas y deja volar tu imaginación para encontrar formas creativas de utilizarlos.

EJEMPLO

Odio

En vez de odiar a tu jefe por no reconocer tu habilidad, empieza a odiar los malos hábitos que te impiden mejorar. Canaliza tu energía en la motivación positiva que te impulsa hacia delante y hacia arriba.

Miedo

Como dijo Eleanor Roosevelt: «Ganas fuerza, valor y confianza en cada experiencia en la que de verdad te detienes a mirar al miedo a la cara». La forma de transformarlo en valentía no es evitarlo o intentar negarlo, sino hacer todo lo contrario: entrar en él, conocer su forma y su color. Por ejemplo, la única manera de superar mi pavor a las aguas profundas fue haciendo un curso de buceo en el Caribe. Hay diversas formas de enfrentarse al miedo, por supuesto. El gran filósofo indio del siglo XIII, Shankaracharya, dijo: «Cuando la guerrera más valiente está en medio de la batalla, su mente y su cuerpo están en el miedo, pero aun así se agarra al coraje de su espíritu y continúa hacia delante».

Preocupación

La próxima vez que te sientas ansiosa, centra tu atención en ese lugar de tu corazón que está lleno de pesadez e intranquilidad y respira profundamente hacia él. Fíjate en qué pasa con esa pesadez cuando concentras toda tu atención en respirar en esa zona. También puede serte útil escribir lo que sientes.

____

____

____

____

8.2. Las mujeres son de Venus... de Marte, de la Luna y de la Tierra

> La general tiene cinco peligros: si desprecia la muerte, puede ser asesinada; si desea vivir a toda costa, puede ser capturada; si tiene un temperamento colérico, puede ser provocada; si es íntegra e incorruptible, puede ser humillada; si ama a su pueblo, puede ser atormentada.

Como he dicho anteriormente, no busques coherencia en *El arte de la guerra* de Sun Tzu. En este pasaje, el maestro Sun dice: «si ama a su pueblo, puede ser atormentada». Una traducción más literal, teniendo en cuenta la ausencia de pronombres y artículos de la lengua china, sería: «Amas gente, así preocupas». De modo que, ¿qué hay que hacer? ¿No amar a tu gente? Esto es contrario al consejo de Sun de tratar a los soldados como si fuesen tus hijos. (Hablaremos más sobre ello en el siguiente capítulo.)

Lo que quiere decir es que una buena líder tiene que amar a su gente y a la vez mantenerse a distancia del amor que les tiene. Aquí, como en muchas otras partes del libro, el filósofo chino utiliza el poder de la paradoja.

Del mismo modo, este capítulo demostrará cómo tus características positivas pueden actuar en tu favor y en tu contra.

De nuevo, Sun Tzu nos hace observar que nuestros puntos débiles están directamente relacionados con nuestros puntos fuertes. La fuerza y la pasión pueden disolverse fácilmente en la rabia cuando las cosas no van como desearíamos. La bondad y el deseo de complacer pueden degenerar en una actitud indecisa. Ser atractiva puede llevarnos a no tener en cuenta otras cualidades y hacer que confiemos solamente en nuestros atributos físicos.

Me explico: siguiendo el espíritu de la filosofía taoísta, que como recordarás extrae lecciones del mundo que nos rodea, demostraré que tu temperamento dominante, si no lo mantienes a raya, puede ser la causa de tu caída.

¿Recuerdas el superventas de John Gray, *Los hombres son de Marte, las mujeres son de Venus*? Yo diría que las mujeres somos mucho más complejas y distintas las unas de las otras de lo que una frase así da a entender. Dicho esto, en mi trabajo de consultora he llegado a identificar diversos tipos de personalidad, que recuerdan las características que solemos asociar con ciertos cuerpos celestes, características que pueden dominar tu personalidad si no tienes cuidado.

Las mujeres de Marte nunca llegan a la cumbre

Recientemente me invitaron a participar en un programa de televisión. Llegué al estudio puntualmente y me recibió un equipo muy amable. Les pregunté dónde estaba el servicio de señoras para poder retocarme el maquillaje; estuve en él como mucho tres minutos.

Mientras salía del cuarto de baño, vi que la mujer que iba a entrevistarme ya estaba sentada detrás de la mesa. Me impresionó su eficiencia, pero al mirar a mi alrededor me di cuenta de que el mismo personal que antes me había recibido con una sonrisa, parecía intimidado y asustado. Estaba claro que su jefa, la mujer que me entrevistaría, hacía que se sintieran como si tuvieran la soga al cuello. Pero no le di mayor importancia; es normal que la gente se ponga más seria cuando su jefe está cerca.

Tomé asiento, coloqué mi bolso donde no se viera y lo abrí para buscar mi crema de manos. De repente, la estancia se quedó en silencio.

—¿Me estáis esperando todos a mí? —pregunté alegremente.

—Sí —contestó la entrevistadora.

—¿Puedo ponerme la crema de manos?

—¿No puedes hacerlo más tarde? —me dijo con el tono que usarías con una exasperante niña de tres años.

Fue algo totalmente inesperado. Yo había llegado al estudio hacía menos de diez minutos, probablemente siete. Nadie podía decir que me había tomado demasiado tiempo. Normalmente pasa más de media hora desde el momento en el que entras en el estudio hasta que las cámaras empiezan a grabar una entrevista que se emitirá posteriormente.

Me alegraba que la persona que me entrevistaba fuera una profesional, pero ¿no podía esperar los treinta segundos que me hubiera llevado asegurarme de que mis manos estuvieran bien y que tuviesen buen aspecto por la cámara?

Que me pusiera crema no iba a hacer que su programa fracasara. De hecho, al hacer que me sintiera incómoda, estaba reduciendo las posibilidades de hacer una gran entrevista. ¿Quién quiere ver a una entrevistada tensa? Estaba claro por qué sus empleados parecían asustados: trataba a todo el mundo así. Pero yo era su invitada, así que respeté sus deseos. Guardé la crema y le sonreí.

—Estoy preparada.

Durante la entrevista, mencioné que si una mujer creía que si no la ascendían era porque era víctima de una discriminación, debería pensarlo mejor. Lo más probable era que tuviese que mejorar sus habilidades técnicas o que todavía no hubiese convencido a los demás de que era una dirigente suficientemente fuerte.

«No te limites a gritar "discriminación" —dije—. Mira más detenidamente.»

Y esta fue la pregunta con la que retomó la conversación la entrevistadora: «Si una mujer se dedica totalmente a su trabajo, e incluso abandona la idea de tener hijos para poder centrarse en su carrera, y aun así no consigue llegar a la cima, ¿está diciendo que el problema está en ella?».

De algún modo supe que estaba hablando de ella misma, pero no saqué a colación lo que consideraba que era su defecto; me pareció que no estaba preparada para oír la verdad. Así que dije que «esa mujer» debería preguntarle a alguien de confianza cuál creía que era la razón por la cual no la habían ascendido.

La respuesta que debía haberle dado era: «La razón por la que no te han ascendido es porque eres de Marte».

Las mujeres de Marte dirigen mediante la intimidación y el

miedo que inspiran a sus empleados. Su agresiva forma de actuar hace que sobresalgan y en algunos casos que asciendan con rapidez, pero hasta que aprendan a aflojar nunca les confiarán la dirección de una empresa. Sus jefes siempre sospecharán de su voluntad dictatorial. Si se les diese el control total de la compañía, harían del lugar de trabajo un infierno para todos los empleados.

La mujer de Marte es muy quisquillosa. Su necesidad de perfección la hace intolerante a todo. Nunca será la directora general.

Si crees que quizá eres de Marte...

Las mujeres de Marte siempre están listas para luchar, así que tienen que aprender a relajarse. Dado que no es fácil para ellas (por decirlo suavemente), permíteme que incluya algunos consejos:

1. *Para relajarte primero tienes que reconocer que estás tensa.* La mayoría de las mujeres de Marte no saben que tienen un problema. Piensan: «Este perfeccionismo es una buena forma de avanzar en mi carrera profesional». Sí, cuando estás empezando la disciplina te ayuda a sobresalir y te proporciona ascensos. Sin embargo, cuanto más subas, más irá en tu contra esta cualidad. Te ganarás la antipatía de todos los que están a tu alrededor y tu jefe se dará cuenta. Por eso es importante que seas consciente de que las mismas cualida-

des que hicieron avanzar tu carrera pueden convertirse en un estorbo.

2. *Tienes que estar atenta.* En cuanto notes que te estás poniendo tensa, ¡detente! Fíjate en qué está pasando y esfuérzate en ser más generosa con los demás y contigo misma. De nuevo, esto no es fácil; pero puede ayudarte saber que la razón por la que actúas de esta forma tal vez sea que crees inconscientemente que los que te rodean quizá no sean tan buenos en su trabajo como tú. Te preocupa que si dependes de ellos, estropeen todo lo que has conseguido. Quizá sea cierto en ese momento, pero si es así, tu responsabilidad es formarlos, no hacer su trabajo. En primer lugar tienes que entender que el problema reside en la forma en que piensas; tú eres la causa de tu ira. Recuerda que cambiar tu forma de pensar no es trabajo de un día. Siempre es más fácil echar la culpa a otros antes que a ti misma.

3. *Empieza por darle la vuelta a tu pensamiento.* En vez de enfurecerte por algo que va mal en el trabajo, descubre cómo ese «obstáculo» puede ser beneficioso.

4. *Entiende que el trabajo de un jefe es motivar, no maltratar.* Puede que tus empleados tengan defectos y no sean tan buenos en su trabajo como tú en el tuyo. No obstante, depende de ti como jefa motivar y mejorar su rendimiento. Concéntrate en descubrir qué es lo que hacen mejor y poténcialo. El maltrato constante nunca ha hecho mejorar a nadie, pero un poco de crítica constructiva puede ser un gran elemento motivador.

5. *Nunca es fácil hasta que se convierte en fácil.* Estos cambios requieren una vigilancia constante, pero si trabajas en

ellos descubrirás que hay otra forma de conseguir resultados satisfactorios. Recuerda que trabajas en la Tierra, no en Marte. Y en el planeta Tierra las crueles mujeres de Marte nunca llegan a lo más alto.

La gente se aprovecha de las mujeres de la Luna

Muchas mujeres protestan: «Como soy amable, la gente se aprovecha de mí». En realidad las mujeres buenas nunca acaban las últimas, pero las débiles sí. Y a estas últimas les encanta glorificarse diciendo que son «buenas».

De hecho, ser buena no quiere decir que tengas que ser débil y viceversa. Permíteme que aclare la diferencia.

Ser buena y agradable es un estado natural. La debilidad es un estado artificial causado por el miedo a la confrontación o por el deseo de conseguir aprobación a cualquier precio. Si dejas que la gente te pisotee no estás siendo buena, estás siendo débil.

En cada primer encuentro hay una «evaluación». Si te muestras como una persona débil, los demás siempre te pisotearán.

Barbara es una psicóloga de Chicago con no más de dos o tres pacientes a la semana. Sus ingresos son escasos, lo que refleja su falta de esfuerzo en establecer una verdadera consulta. Su marido paga el alquiler de su poco rentabilizado despacho y le pagó los treinta mil dólares que ella pidió como préstamo de estudios; él nunca deja que ella lo olvide.

A menudo Barbara me dice entre sollozos que su marido no la respeta. Pero la consideración no es gratuita, tienes que ganártela.

Tienes que hacer algo digno de respeto para respetarte a ti misma y conseguir el de los demás.

¿Qué tiene que hacer Barbara? Tiene su título, ahora solo debe utilizarlo. Tiene una consulta pero le falta llenarla. Si quiere aumentar su cartera de clientes, tiene que empezar a publicar artículos en revistas médicas y de psicología, contactar con colegas que puedan ayudarla con referencias, asistir a conferencias, participar en comisiones, aprender más sobre determinadas enfermedades para ser de mayor ayuda a sus pacientes, etc. Puedo garantizar que si Barbara adopta una postura más activa en su carrera, en breve ganará más de los treinta mil dólares que su marido pagó por su préstamo de estudios. No importa cuál sea tu trabajo, no basta con conseguir tu título y sentarte a esperar a que los clientes vengan a ti.

En realidad todas tenemos cierta debilidad (del mismo modo que todas tenemos características de las mujeres de Marte), pero puedes evitar ser una mujer de la Luna aprendiendo a valerte por ti misma. Las que no lo hagan, siempre serán pisoteadas.

Mujeres de Venus

Las mujeres de Venus y de la Luna son parecidas, aunque hay una gran diferencia. En el fondo, la mujer de la Luna sabe que es débil y esto es lo que la reprime. En cambio, la mujer de Venus se considera inteligente y oportunista. Entiende sus valores (su cara y su cuerpo) y cómo sacarles el máximo partido (naturalmente o con ayuda de cirugía).

Utiliza su apariencia física como una general utilizaría los ríos y las montañas en el campo de batalla; son sus armas. Pero aunque se cree muy lista, hay algo que todas las mujeres de Venus olvidan: siempre hay una venusiana más joven esperando para sustituirla.

La Venus original poseía la eterna juventud, pero tú no. Si la belleza y la sexualidad son tus únicas armas, al final acabarás perdiendo; pero en realidad no es así, y si lo crees es que jamás has mirado en tu interior para descubrir qué otros talentos posees. La buena noticia es que nunca es demasiado tarde para descubrir tu belleza interior.

Si todavía crees que encontrar a un marido rico es suficiente para hacerte feliz, escucha esta historia. Un fin de semana que iba a dar una conferencia a ejecutivos (hombres) de gran poder, tuve la oportunidad de supervisar un taller para sus mujeres. El objetivo del taller, que estaba dirigido por una psicóloga, era enseñarles a superar la presión de tener que ser un apoyo para su pareja.

Una detrás de otra, compartieron sus historias, y todas tenían el mismo problema: lo único que importaba en su familia era el marido y sus necesidades siempre eran prioritarias.

«Mi marido es el director general de una multinacional —empezó a contar una encantadora rubia de treinta y largos—. Hemos vivido en Chicago los últimos cinco años, teníamos una casa preciosa, servicio y nuestros hijos eran felices en la escuela. Un día mi marido llegó a casa y me informó de que nos íbamos a mudar a Hong Kong inmediatamente. Yo tenía que encargarme de la mudanza. No me preguntó si quería vivir en Hong Kong. No le preocupaba cómo se sentirían los niños al tener que dejar a sus amigos.

»Ahora vivo en Hong Kong en una casa mucho más pequeña en la que no entran la mayoría de nuestros muebles.»

Sus sollozos eran desgarradores, pero totalmente desproporcionados con el problema que describía. Lo que de verdad le molestaba era no ser más que una concubina para su marido.

Aunque es lo que escogieron, estas mujeres no entendían por qué el trabajo de sus maridos era más importante que sus propias necesidades.

Mientras observaba a esta veintena de desgraciadas mujeres, me vino a la mente una imagen. Me di cuenta de que no eran muy distintas de las mujeres que hace miles de años eran concubinas en la corte del emperador. Su trabajo era dar placer y apoyo, y soportar su desgracia en silencio.

La próxima vez que empieces a pensar qué bueno sería dejar tu trabajo y encontrar un marido rico que te mantenga, piénsatelo dos veces. Pregúntate si las ganancias materiales compensan que pierdas tu dignidad.

Las mujeres de la Tierra triunfan

La mujer de la Tierra es mucho más compleja que las demás. Lucha para equilibrar las cualidades de las mujeres de Marte, de la Luna y de Venus con la mujer honesta y trabajadora que lleva dentro. Este acto de equilibrio es un desafío.

Es disciplinada pero no maltrata. Es tolerante y amable pero no una incauta. Puede ser sensual y bella pero sabe cuándo llevar traje y poner las cosas en su sitio. La mujer de la Tierra es una mujer de negocios eficiente que además es un ser humano compasivo.

Quizá no todo el mundo la quiere, pero no importa. No es su intención, no es falsa, es ella misma. Entiende que una vida de éxito consiste en equilibrar fuerzas contradictorias: si tienes demasiada energía de Marte, siempre estás en guerra; si te desvives por ser aceptada y no estás dispuesta a luchar por lo que crees, siempre te pisotearán; si crees que con tu belleza es suficiente para avanzar en la vida, tienes que reflexionar.

La mujer de la Tierra entiende todo esto; integra las fuerzas que posee de modo que la suma sea mucho más que las partes. No niega a las mujeres de Marte, la Luna y Venus que lleva dentro, mantiene el equilibrio entre estas fuerzas opuestas, entre su fortaleza y su debilidad.

REFLEXIÓN

¿Compartes alguno de los rasgos de las mujeres de Marte, Venus o la Luna? ¿Qué pasos puedes dar para convertirte en una mujer de la Tierra más equilibrada?

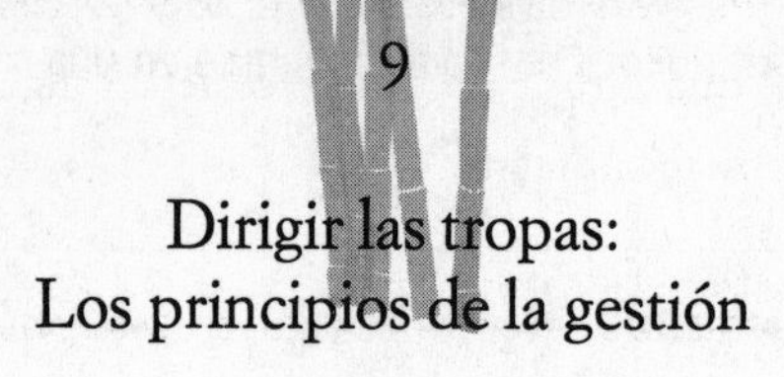

9

Dirigir las tropas: Los principios de la gestión

El título de este capítulo es «Xing jun». En tiempos de Sun Tzu, *xing* se traducía como «gestionar» o «usar», y *jun* significaba «soldados» o «tropas». En chino moderno, *xing* quiere decir «caminar» o «marchar»; muchos libros han traducido el título de este capítulo como «Tropas en marcha», pero esta traducción es incorrecta.

En él, el maestro Sun habla de cómo un o una general puede gestionar diferentes problemas en una situación de batalla: cómo cruzar un río, dónde acampar o cómo detectar una emboscada.

Pero no trataremos sus tácticas de gestión en el campo de batalla, sino la forma de dirigir personas en el puesto de trabajo hoy en día.

Para hacerlo, sigo el espíritu del capítulo 9 del maestro Sun pero añado textos de otras secciones que hablan de la dirección de personas. Estoy segura de que Sun Tzu aplaudiría mi adaptación creativa de su pensamiento sobre la gestión.

9.1. La esencia de la gestión organizativa

> Dirigir un gran número de soldados es exactamente lo mismo que dirigir un grupo reducido; la clave es la división de los números.

Me llevó muchísimo tiempo entender esta frase tan simple. Sencillamente, no lograba entender cómo podía ser lo mismo dirigir una empresa que está entre las cien mejores y una que acaba de empezar. Pero un día, mientras estaba dirigiendo mi propio pequeño grupo, lo comprendí: la única diferencia real es la magnitud.

Todos los detalles deben tenerse en cuenta con el mismo cuidado en un entorno pequeño o en uno grande. Todos los aspectos son igualmente importantes: desde el marketing, la ingeniería de sistemas, la contabilidad hasta la producción. Esto lo aprendieron mujeres como Judy George, Anita Roddick y Doris Christopher mientras transformaban sus recién creadas empresas en imperios de ventas: Domain en el caso de George, The Body Shop en el de Roddick y The Pampered Chef's en el de Christopher.

Pero también funciona en la otra dirección. Connie Duckworth, una socia retirada de Goldman Sachs, utilizó los conocimientos que había adquirido en ese prestigioso banco de inversiones para ayudar en la creación del Circle Financial Group, una empresa más pequeña situada en Nueva York.

La única diferencia es que en una gran compañía hay cien personas que se dedican a la contabilidad en vez de una. Las tareas ya no las lleva una persona, sino que se dividen en departamentos o divisiones, pero en las empresas más pequeñas todos los trabajadores tienen que demostrar la misma capacidad y atención al detalle que en un departamento de doscientos individuos.

No hay diferencia si eres la directora de un departamento de dos personas o una vicepresidenta con cientos de empleados a tu cargo; tienes que entender la dinámica del grupo.

> De este modo, la experta en el uso de las tropas hace que estas vayan unidas de la mano como si fueran una sola persona y las puede manipular con total libertad.

En lo referente a la gestión, una de las grandes diferencias entre Oriente y Occidente reside en cómo llevarla a cabo.

En Occidente, las empresas quieren saber a cuántas personas has dirigido hasta ese momento. En la China antigua, los líderes se interesaban en tu grado de comprensión del arte de la gestión; la experiencia real no importaba. Lamentablemente, hoy en día muchos directivos asiáticos han adoptado la forma de hacer occidental, y han dado la espalda a una herencia que se demostró útil en el pasado.

Pero ¿cuál fue la sabiduría intuitiva que Sun Tzu aportó al arte de dirigir un ejército? Para él, la clave para mandar a un millón de soldados era la comprensión de cómo un individuo actúa en determinada situación. Cuando un millón de seres humanos se unen, el grupo no tiene un millón de personalidades, sino que adquiere una única personalidad. Si sabes dirigir a un individuo, sin lugar a dudas sabrás manejar a un millón de personas como una unidad.

Mi amiga Marie es una buena amiga del ex presidente de China, Jiang Zemin. Una vez, mientras estaban cenando, conversaban amistosamente sobre cómo dirigir China. El ex jefe de Gobierno le preguntó: «¿Cómo lo harías tú?». Marie contestó: «Trataría a los mil millones de chinos como si fuesen mis hijos. Siguiendo este principio, China funcionaría bien».

Lo que nos lleva al siguiente punto.

9.2. Las habilidades familiares y las del trabajo son complementarias

Con tanto debate sobre si las mujeres deben escoger dejar de trabajar (como si todas tuviésemos esa «opción»), olvidamos con frecuencia que las habilidades de la gestión en el trabajo y la vida familiar pueden ser complementarias. Mujeres de campos tan diversos como la publicidad (por ejemplo, Shelley Lazarus, presidenta del consejo de administración y directora general de Ogilvy & Mather) o las ciencias (como Myrtle Potter, directora de división de Genentech) hablan frecuentemente de cómo las capacidades que desarrollaron llevando una casa (gestionar el tiempo, las relaciones interpersonales y priorizar distintas necesidades, por citar solo tres), se aplican al lugar de trabajo.

Las buenas madres y las buenas gestoras comparten cinco cualidades importantes:

1. *Sabiduría.* Una madre tiene que ser sabia para poder orientar a sus hijos. Del mismo modo, una gestora en el trabajo necesita visión y competencia técnica. Tiene que ser buena en lo que hace para sacar lo mejor de su gente y conseguir beneficios para la empresa.

La comprensión, la dirección, la visión, la orientación y la competencia son cualidades que se encuentran en las madres y en las gestoras sabias.

2. *Fiabilidad.* Una madre tiene que ganarse la confianza de sus hijos para proporcionarles una educación enriquecedora y estimulante. Y por supuesto, una gestora tiene que ganarse a sus empleados o nunca creerán en su visión. Si no confían en ella, se pasarán las horas de trabajo buscando otro empleo en vez de centrarse en el que ya tienen. Si la gestora no inspira confianza en los jefes, inversores o accionistas, no conseguirá llevar a cabo sus proyectos, sus superiores interferirán en su trabajo e intentarán dirigirla. Si da un producto o servicio de mala calidad, sus clientes perderán la confianza en ella y las ventas disminuirán.

3. *Benevolencia.*

> El ejército debe disponer de qué alimentarse y disfrutar de una posición en tierra alta y soleada, para encontrarse libre de toda enfermedad.

Si cuidas bien de tu ejército y este es feliz, ganarás tus batallas.

Ser benevolente no significa ser una alfombra a la que puedan pisar. Quiere decir irradiar poder personal y ser capaz de aceptar otras opiniones. En resumen, es una cualidad que emana de la fuerza interior.

La madre benevolente acepta y entiende los puntos de vista de sus hijos. La madre que impone sin compasión sus valores y reglas a los hijos se convierte en tirana y castrante.

Una gestora benevolente no se siente amenazada por la crítica, sino que se siente en deuda con un personal que sea honesto y directo. Una gestora benevolente despierta un sentimiento de igualdad entre su equipo de dirección y los trabajadores. Las tareas son distintas, pero las oportunidades y la dignidad humana básica son las mismas. Logra que las personas se sientan a gusto trabajando para ella.

En tu intento por convertirte en una gestora benevolente, no premies a tus tropas con demasiada frecuencia. Como dijo Sun Tzu:

> Si las recompensas se multiplican es que la general tiene problemas; si los castigos se multiplican es que está angustiada.

Como cualquier entrenador de perros te confirmará, cuando le prestas demasiada atención a tu perro, el animal se descontrola porque sabe que él está al mando, que tiene el poder. Esta regla también es válida para tus hijos y tus empleados.

Mi amiga Tina y su marido, Ted, aprendieron esta lección en sus propias carnes cuando su empresa multimedia atravesó tiempos difíciles. Cuando la competencia aumentó, muchos de los acuerdos con los que contaban se esfumaron.

Para atraer nuevos clientes, Ted necesitaba que su personal se quedase en la empresa para que pareciese que estaban ocupados cuando los posibles clientes acudiesen a las reuniones. Quería dar la impresión de que la empresa estaba prosperando, en vez de disolviéndose.

Casi todos los días daba charlas de motivación e invitaba a su gente a comer a restaurantes. Cuanto más hablaba y más veces pagaba la cuenta, más empleados dimitían; notaban su desesperación y abandonaban el barco rápidamente.

Mientras tanto, Tina mantenía duras discusiones y recriminaba a menudo a Leo, que era el responsable del departamento técnico. Las peleas no guardaban proporción con la importancia de los problemas que las ocasionaban. Sin duda, la frustración de Tina por el mal momento del negocio era la causa de su exagerada reacción. Finalmente, el motivo de las disputas ya no importaba. Leo se fue a trabajar a una empresa competidora (en crecimiento).

No pasó mucho tiempo hasta que la compañía quebró. Mientras observaba esta situación, reflexioné sobre la certeza de las palabras de Sun Tzu: no puede salir nada bueno de premiar o castigar a las personas (ya sean empleados o hijos) cuando no lo merecen. Como el maestro Sun dijo: la disciplina tiene que imponerse adecuadamente.

4. *Disciplina.* Una madre no puede esperar que sus hijos sean disciplinados si consiente que se porten mal. A primera vista, puede parecer que la disciplina plantea un conflicto con la tolerancia y la benevolencia, pero no es cierto. Por supues-

to, si eres estricta sin compasión, tus hijos se rebelarán. Pero si no eres severa, malcriarás a tu prole.

La buena educación, como el buen liderazgo, se basa en el equilibrio de fuerzas paradójicas: benevolencia y disciplina, sabiduría e ignorancia, valentía y miedo.

Si las directrices que marcas son claras y las mantienes rigurosamente, el personal funcionará. La disciplina no es algo que pueda aplicarse solo a tu relación con los empleados, sino que también atañe a tu relación con tus jefes, socios, clientes y, particularmente, contigo misma.

Nicole era propietaria de una pequeña empresa de software que nunca ponía límites a sus clientes. Les permitía pedir más dedicación y cambiar la orientación una y otra vez, incluso después de que el contrato se hubiese firmado. Al final la empresa quebró; no puedes trabajar sin cobrar durante mucho tiempo.

Si la compañía de Nicole hubiese mantenido a sus clientes a raya y hubiese insistido en que se atuviesen a lo ya acordado o pagasen más dinero por los cambios, podría haber evitado la quiebra.

5. *Valentía.* Hace falta mucho valor para que una madre confíe en sus hijos y los eduque de la forma que le parece correcta. Lo mismo ocurre con una gestora: debe estar siempre preparada para aceptar algo nuevo, pero hace falta valentía para actuar de esta forma. Cuando se realizan cambios, te enfrentas a riesgos, incertidumbres y posibles fracasos, y hace falta coraje.

Nadie puede liderar sin valentía. Tanto si se trata de objetivos personales como si son los de la empresa, el valor es esencial para conseguir el éxito. Sin él, los planes y las estrategias son como juegos de guerra sobre el papel; puede que sea entretenido pero no es muy útil.

Una gestora valiente no desconoce el miedo; al contrario, a pesar de él, encara los desafíos y hace lo que tiene que hacer.

Aunque es cierto que los líderes no pueden mandar sin valentía, no debes aceptar un cargo de liderazgo a menos que seas muy competente en tu campo y puedas contestar afirmativamente a estas preguntas:

– ¿Tengo la suficiente capacidad para tomar decisiones?
– ¿Tengo el coraje de llevar a cabo las tareas que tienen que realizarse?
– ¿Estoy dispuesta a correr riesgos calculados?
– ¿Tengo aguante para encajar los contratiempos imprevistos?
– ¿Tengo una voluntad inquebrantable?
– Si mi plan falla, ¿seré lo suficientemente fuerte para recuperarme?
– ¿Tengo la capacidad de soportar la humillación?
– ¿Puedo resistir los tiempos difíciles?

Si tu respuesta a todas estas preguntas es afirmativa, tienes el temperamento que hace falta para ser líder. Si la respuesta a alguna de ellas es negativa, tienes trabajo que hacer antes de aceptar el desafío del liderazgo.

La fuerza mental es vital para el triunfo de cualquier mujer trabajadora, ya sea para alcanzar tus objetivos personales o los de tu empresa. Si no eres capaz de encajar el dolor de los contratiempos, no aceptes un papel de líder en el campo de batalla de los negocios o de la vida diaria.

La mejor gestora es la que puede enfrentarse a diversos desafíos simultáneos (desde comprender a la gente con la que está tratando hasta crear un proyecto global) y los consigue unir en un todo sin divisiones.

Una buena gestora en el trabajo planea estrategias, las traduce en tareas concretas, delega, supervisa la ejecución y finalmente comprueba los resultados. A continuación, busca aspectos que se puedan mejorar y cambia sus estrategias para conseguir una ejecución más eficaz en el futuro.

Una líder dirige liderando. Esto es cierto en el trabajo y en el hogar. Es evidente que la actitud y el tono de voz serán diferentes cuando hables con tu personal o con tus hijos, y probablemente no escribirás muchos informes para tus hijos (tal vez sí), pero los principios de estimulación, motivación, corrección y disciplina son los mismos.

De la misma forma, si aprendes a cultivar el talento de tu personal y les ayudas a completar sus proyectos con éxito, podrás trasladar este conocimiento a la educación de tus hijos.

Evidentemente, tus empleados necesitan la formación adecuada, pero si cuidas de tu personal como si fuesen tus hijos, te ganarás su respeto y su lealtad.

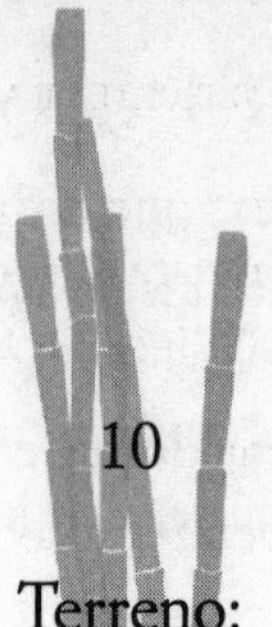

10

Terreno: Muévete de acuerdo con tu entorno

En chino, las dos palabras que dan nombre al capítulo 10 de *El arte de la guerra* de Sun Tzu se traducen como «geografía» y «forma». Se refiere al terreno en que los ejércitos van a enfrentarse en la batalla.

No hay muchas luchas cara a cara en la oficina hoy en día, pero es indudable que hay batallas que tenemos que librar. En este capítulo trataremos las intrigas en la oficina desde la perspectiva del trabajador y del director, y hablaremos de lo que hace falta para triunfar y de lo que puede causar la derrota.

10.1. Cómo conseguir ascender sin gran esfuerzo

> Hay seis tipos de terreno: atendiendo a su configuración, el terreno puede ser accesible, escabroso, neutralizador, estrecho, accidentado o lejano.

En un mundo ideal, todas las personas conseguirían ascender basándose solamente en su trabajo, y los compañeros en tu empresa se apoyarían para que cada uno destacase en su respectivo puesto. Pero la realidad es que las intrigas en la oficina no van a desaparecer.

Si eres brillante y trabajadora, pero siguen aplazando los ascensos que mereces, deberías considerar pulir tus habilidades de estrategia en el trabajo.

Para la mayoría de nosotras, las intrigas causan más sufrimiento y estrés que las responsabilidades asociadas al cargo. La ansiedad impide que hagas bien tu trabajo y permanece hasta mucho después de haber regresado a casa. Puede que incluso te arruine un fantástico fin de semana con la familia.

Y es que la incapacidad de entender las estrategias en la oficina no solo te causará ansiedad emocional, también puede frenar tu carrera profesional. Si no conoces las reglas del juego, puedes encontrarte atrapada en un puesto inferior durante mucho más tiempo del que desearías, sin importar lo brillante que seas.

La buena noticia es que se pueden dominar. No te estoy hablando de convertir en tu principal objetivo dominar estas intrigas, pero saber qué hacer en determinadas situaciones te permitirá tener mayor control, y te sentirás menos frustrada y más ágil cuando haya que evitar las trampas que se esconden en el camino de tu carrera profesional. Todo esto hace que sea más probable que obtengas el ascenso a puestos cada vez mejores.

Sun Tzu habla de maniobrar a través de diferentes accidentes geográficos. Si sustituyes «situación política interior» por «restricciones geográficas», verás que la lógica todavía se mantiene.

1. TERRENO ACCESIBLE

Se denomina accesible al terreno que permite el tránsito tanto a nuestras tropas como a las enemigas con la misma facilidad. Sobre este terreno, quien primero tome la posición alta e iluminada y establezca las líneas de aprovisionamiento resultará beneficiado en caso de entablar combate.

El terreno accesible es un entorno del que puedes entrar y salir con facilidad. En la oficina esto significa alianzas amistosas, mentores y grandes equipos. Si tienes la suerte de trabajar en este terreno, conseguirás tus objetivos profesionales sin tener que saltar barreras.

Aunque el terreno parezca accesible, debes tomar ciertas precauciones. Analiza siempre atentamente los motivos de los demás y si necesitas ayuda, asegúrate de que se la pides a alguien que posea las cualidades de un aliado. Esta persona:

– ¿Disfruta ayudando a la gente sin pensar en retribuciones?
– ¿Tiene lazos especiales contigo? ¿Ha mostrado interés, sin ninguna razón aparente, por ser tu mentor? Toda mi vida me he beneficiado de este tipo de generosidad. Busca manos amigas; te sorprenderá la cantidad de gente que está dispuesta a ayudarte solo para facilitarte el triunfo.

Sin embargo, tienes que tener cuidado con las personas que:

- Esperan que se le devuelvan todos los favores. Las hay que solo te buscarán si creen que algún día estarás en situación de devolverles los favores. A menudo no lo dicen directamente, tendrás que afinar tu intuición para discernir si la persona te está ayudando por algo más que por razones filantrópicas. Está claro que en los negocios casi todo se basa en la reciprocidad, pero si ayudas solo cuando quieres algo a cambio, no llegarás muy lejos.
- Son hábiles mentirosas. Fingen ser tu aliado, pero por razones reales o imaginarias, te ven como una amenaza. Este tipo de personas hacen ver que te apoyan para poder vigilarte de cerca. La principal regla que hay que seguir para detectar el engaño es: fíate de tu instinto cuando este te diga que vayas con precaución con tu supuesto aliado; aunque tu cabeza te riña por ser tan desconfiada, ve siempre donde te lleve tu intuición.

2. TERRENO ESCABROSO

Se denomina escabroso el terreno al que se puede acceder con facilidad pero cuya salida es dificultosa. Sobre este terreno es posible lograr la victoria en el caso de que se ataque a un enemigo que no esté preparado; pero en el caso de que lo esté, el ataque no se saldará con victoria y, puesto que la salida de dicho terreno es dificultosa, no se obtendrá beneficio alguno.

Algunos puestos de trabajo son como carreteras empinadas: cuando quieres avanzar todo se hace cuesta arriba. Hay poca promoción interna, así que las que están en la parte baja de la escala se sienten frustradas y las que están arriba sienten miedo de que las sustituyan por algún talento joven. En este tipo de terreno, haz bien tu trabajo pero no dejes que tu jefe o jefa crea que eres una amenaza para su puesto. Absorbe todos los conocimientos y establece tantos contactos como puedas antes de buscarte otro trabajo.

Si tu jefe o jefa es una lumbrera en tu profesión, es posible que necesite más ayuda con las tareas administrativas de la que te gustaría tener que hacer. Pero no dejes pasar la oportunidad de trabajar con el mejor porque no te guste el trabajo pesado. Todos tenemos que pagar nuestros peajes, y trabajar con alguien que disfruta de reconocimiento en tu campo te abrirá muchas puertas en el futuro.

Incluso después de haber cambiado de aires, mantén el contacto con tu mentor. Si tus colegas te asocian con una de las mejores de la profesión te respetarán.

Si aprendes con el mejor te convertirás en una persona muy valiosa, se te considerará un activo que cualquier otra empresa querría tener.

3. TERRENO NEUTRALIZADOR

> Se denomina neutralizador al terreno en el que a ninguno de los contendientes les beneficia tomar la iniciativa. Sobre este terreno no se debe pasar al ataque por mucho que el enemigo ofrezca una ventaja.

El terreno neutralizador es la oficina disfuncional. En este entorno, la estrechez de miras del jefe o jefa o la imposibilidad de elaborar un proyecto crean una atmósfera de derrota casi segura. En un ambiente lleno de ciénagas mentales y división, es difícil incluso simplemente hacer tu trabajo, así que para qué hablar de brillar.

El truco, en el caso de que te encuentres en una de estas situaciones, es que mantengas la cabeza baja y busques otro trabajo tan pronto como te sea posible. Lo único que puedes esperar es sobrevivir si no haces mucho ruido.

Una conocida mía, Barbara, escapó de un terreno difícil de este modo. Tras darse cuenta de que no podía seguir trabajando como vicepresidenta adjunta en una empresa de artes gráficas —su jefe tan pronto era encantador como un maníaco—, empezó a hablar discretamente con toda la gente que conocía en el sector sobre las posibilidades de trabajar en otra parte.

Le llevó mucho más de lo que le habría gustado (casi un año) y más entrevistas de las que esperaba (más de veinte), pero gracias a un amigo de un amigo, se reencontró con alguien con quien había trabajado hacía ya unos años. Este había formado su propia y próspera compañía y contrató a Barbara de jefa de operaciones con un salario un 25 por ciento más alto que el que tenía.

4. TERRENO ESTRECHO

Si ocupamos primero un terreno estrecho, debemos bloquear todos los pasos y esperar así al enemigo; pero si es él quien lo ha ocupado antes y ha bloqueado los pasos, no debemos seguirlo; podemos hacerlo solamente en el caso de que no los haya bloqueado todos.

El terreno estrecho es similar al terreno escabroso con una diferencia distintiva: es posible avanzar pero solo si puedes ocupar un cargo cercano a uno de los jefes de la empresa. Las puertas que estas oportunidades pueden abrirte son ilimitadas. Ocupar uno de esos puestos hará que los que tienen verdadera influencia puedan verte brillar.

Si estás en uno de estos puestos, asegúrate de que lo vigilas bien para que nadie te quite el sitio hasta que estés preparada para cambiar hacia algo mejor.

Si el terreno estrecho no está vacante, no cargues imprudentemente contra la persona que lo ocupa. Quien esté en este puesto estratégico tendrá el poder de hacerte daño, y lo hará si te considera una amenaza.

La única forma de avanzar en este terreno es que quien ocupa el puesto no conozca su importancia o no lo defienda bien. Si no muestra ninguna intención de retirarse, empieza a hablar con colegas de confianza en el sector sobre posibles oportunidades.

5. TERRENO ACCIDENTADO

> Si ocupamos primero un terreno accidentado, hemos de tomar las posiciones altas e iluminadas y esperar así al enemigo; si es el enemigo quien lo ha ocupado antes, es preciso retirarse y renunciar a seguirlo.

No cabe duda de que la mejor manera de sobrevivir a las maniobras estratégicas es ser la jefa. No es que no vaya a haber luchas una vez llegues al puesto más alto, porque las habrá. Da igual lo alta que sea tu posición, tendrás que luchar para mantenerla, pero tendrás mucho más control de la situación cuando estés al mando; tu situación privilegiada te permitirá ver todo el terreno mucho más claro.

La mejor manera de mantenerte arriba es actuar de forma excepcional. Después de todo te ha costado un gran esfuerzo llegar a la cima y ahora es el momento de demostrar que este es tu sitio.

De cómo llegar a la cima es de lo que trata el resto del libro. Si tuviese que resumirlo en una frase, diría que hace falta un gran conocimiento de sí misma, combinado con un rendimiento excelente y capacidades de relación interpersonal sobresalientes. Si lo piensas detenidamente, dominar las intrigas de oficina consiste en trabajar bien con los demás.

Nunca tengas miedo de trabajar duro. Si trabajas mucho estarás preparada cuando, si llega la ocasión, tu jefe ascienda o abandone la empresa. Aunque no hay ninguna garantía de que consigas su puesto, habrás aumentado tus posibilidades al convertirte en la persona más capacitada y adecuada para el puesto.

Una vez dicho esto, tengo que añadir que el trabajo duro es importante, pero no siempre se ve ni se premia a las buenas trabajadoras. Hay ocasiones en que hay que echarle una mano al destino. Cómo expones tus ideas es tan importante como las propias ideas; tu visibilidad en la empresa es tan vital como lo que haces en ella; y con quién has trabajado es a menudo tan decisivo como lo que has hecho.

Ten cuidado de no amenazar a los poderes establecidos; espera. Apoya siempre genuinamente a los que sirves (y aspira a sustituirlos algún día). Tampoco te olvides de apoyar a los que están por debajo de ti, a los que te sirven.

6. TERRENO LEJANO

En terreno lejano, a igualdad de fuerzas, resulta arriesgado provocar al enemigo, puesto que si este acepta el envite no obtendremos beneficio alguno.

Cuando el ejército soviético luchó contra Japón en los campos de Manchuria, en China, fue derrotado por las fuerzas japonesas, que en principio eran inferiores. El intento de Alejandro Magno de conquistar la India le llevó a la muerte. Nadie gana guerras en tierras distantes sin un enorme gasto en esfuerzo.

En la oficina, las «tierras lejanas» son la gente que está muchos escalones por encima de ti. Haz lo posible por crear una relación armoniosa con ellos, nunca los provoques.

Esta es una lección que Amy Wilkerson aprendió a su pesar. Ella era la directora financiera de la filial más importante de una empresa, situada en Manhattan. Amy imitaba muy bien al director general de la compañía, que tartamudeaba un poco y era conocido por sus errores de vocabulario al hablar.

Los rumores decían que al director general, que trabajaba en Los Ángeles, le encantaban las imitaciones de Amy. Lo que no le gustaba tanto era que dijera a todo aquel que quisiera escucharla que ella podía dirigir mejor la empresa. Tras oír esos comentarios (a través de otros) durante meses, el director general anunció que a Amy, que estaba encantada en Manhattan, la iban a ascender. Dirigiría la filial más pequeña de la empresa: en Kansas.

Aunque su título cambió a «presidenta de filial», Amy se encontró a cargo de mucha menos gente y con mucho menos que hacer puesto que la delegación prácticamente funcionaba sola.

Amy se pudrió en este puesto durante casi tres años. Este es el tiempo que le costó encontrar un nuevo trabajo, uno casi idéntico al que tenía tres años atrás en Nueva York.

Se trata de conseguir el ascenso

Dado que eres la comandante aliada suprema de tu vida y de tu carrera, depende de ti estudiar bien estos seis tipos de terrenos. Cuando encuentres obstáculos, primero deberás identificar la clase de terreno en el que estás y cómo puedes impulsarte hacia delante en él.

Este capítulo no está pensado para enseñarte a iniciar conflictos, igual que el kung-fu no consiste en empezar peleas callejeras. La mejor estrategia es crear paz y armonía entre tus compañeros de trabajo, porque donde hay armonía, hay Tao; y donde hay Tao, hay prosperidad.

Pero cuando los conflictos de intereses son inevitables, ayuda saber cómo defenderse y superar la adversidad. Esta es la adaptación creativa del Fa.

10.2. Seis formas de fracasar como jefa

> Las tropas pueden conocer la huida, el relajamiento, el estancamiento, el hundimiento, el desorden y la derrota. Habitualmente, estos seis desastres no se deben al cielo sino a los errores de la general.

Incluso cuando estás sentada cómodamente en el asiento del ejecutivo, recuerda que es tan importante saber evitar la derrota como saber obtener la victoria. A nadie le gusta pensar en la derrota, pero si no entiendes las seis formas principales de perder, te expones a caer en una emboscada.

Tratemos cada una de las posibles trampas a las que te enfrentarás como jefa.

Seis caminos hacia la derrota

1. *Ignorar tus recursos.* Si no tienes una clara imagen de tus límites en cuanto a recursos y emprendes una tarea superior a tu capacidad, fracasarás.

Puede que cuando oigas esto hagas como mucha gente y digas: «Conozco mis límites. Nunca aceptaría un proyecto o me pondría en una situación para la que estuviera poco preparada». Pero las mujeres lo hacemos a menudo porque:

a) Estamos ansiosas por mostrar nuestra capacidad.
b) Nos impacientamos por que nos asciendan.
c) No somos conscientes de nuestros defectos y virtudes, y de cómo estos se relacionan con nuestro trabajo.

Antes de empezar cualquier proyecto, asegúrate de que dispones de los recursos necesarios; y si no los tienes, consíguelos. Si no puedes, no lo aceptes.

Sun Tzu explica con angustioso detalle qué sucedería si no siguieras este consejo de sentido común:

> Cuando la fuerza del enemigo sea diez veces mayor pero la comandante crea que su coraje es suficiente para compensar la inmensa desventaja numérica, estará lanzando sus tropas a las garras del enemigo como si estuviese lanzando huevos contra una roca.

2. *Incompetencia directiva.* Sun Tzu resumió perfectamente esta situación cuando dijo: «Si las tropas son fuertes pero los oficiales débiles, las órdenes se desobedecerán».

Trabajar para un jefe incompetente es frustrante, humillante y hace que tu labor sea increíblemente penosa. No puedes concentrar tu energía en hacer tu trabajo cuando tienes que invertir (mucho) tiempo defendiéndote o cuestionando a tu jefe. Su falta de competencia hará que el departamento finalmente se hunda; no dejes que te arrastre en su caída.

Esto ocurre normalmente en negocios familiares, cuando el dueño decide que uno de sus hijos dirija la empresa. Aunque algunos herederos trabajan duro para aprender todos los aspectos del negocio antes de dirigirlo, otros casi ni prestan atención. Esta fue la situación que Paula se encontró cuando el que había sido su jefe durante ocho años cedió a su hija la dirección de una pequeña empresa textil de ropa en el distrito de la moda de Manhattan.

La empresa era conocida porque hacía ropa cómoda para mujeres de treinta y cuarenta años, pero a la hija no le interesaba dirigir una compañía cuyo «único objetivo era hacer que las mamás tuviesen buen aspecto».

La hija, de casi treinta años, quería diseñar ropa para gente como ella. Con todo el tacto que pudo, Paula le hizo notar que a) ese era un mercado con mucha competencia, b) la empresa no tenía ninguna experiencia en él y c) haría falta reemplazar a todos sus comerciales y vendedores.

Pero ella no quería escuchar. Se gastó millones del dinero de su padre diseñando ropa para el nuevo mercado. Solo cuando las cuatro primeras líneas de ropa fracasaron, el padre le cerró el grifo. Ella se fue pronto a probar suerte como decoradora de interiores. La única razón por la que la compañía sobrevivió fue porque Paula había conservado parte de la línea de «moda para mamás», mientras la hija del dueño intentaba expandir su visión de la empresa. Probablemente la sabiduría de Paula no fue popular al principio del reinado de la hija, pero al final su persistencia tuvo recompensa.

3. *Personal incompetente.* Sun Tzu escribió:

> Cuando los oficiales sean fuertes y las tropas débiles, durante la batalla los oficiales se verán obligados a lanzarse a tareas peligrosas y morirán. Esto llevará a la destrucción de todas las tropas.
>
> Cuando una comandante está dirigiendo a tropas débiles contra un enemigo superiormente entrenado, sus soldados verán al enemigo y escaparán siguiendo el viento del norte.

Si el jefe es bueno pero los trabajadores son incapaces de producir el resultado deseado, el proyecto fracasará.

Una vez pronuncié un discurso en el barco de cruceros de lujo *Royal Viking Queen*. El *Queen* se dirige al público de más poder adquisitivo del mercado; un crucero de dos semanas cuesta veinticinco mil euros por pareja. Mientras estuve allí, el trato de la tripulación fue exquisito, a pesar de que atendían a una clientela muy exigente.

Le pregunté al capitán: «¿Cómo forman a la tripulación para que sea tan educada en circunstancias tan difíciles?».

Su respuesta fue: «Les pagamos bien y contratamos a los mejores». En ese trabajo tener una personalidad agradable es clave, pero en todos los puestos hay cualidades que no se pueden aprender: la actitud correcta y el entusiasmo por el trabajo son aptitudes que ningún jefe te puede enseñar. La formación solo es efectiva cuando tienes a la gente adecuada trabajando para ti. Puede que parezca obvio, pero supongo que no hace falta que contemos la cantidad de empresas que no lo han entendido todavía.

4. *Jugando al favoritismo.* Como Sun Tzu escribió:

> Cuando la comandante no es razonable, esto conduce al resentimiento entre sus tropas. Durante la batalla cada soldado llevará a cabo su propia guerra en vez de obedecer las órdenes. Esto conducirá sin duda a la derrota.

Para que todo proyecto llegue a buen puerto y el departamento tenga éxito, el apoyo y la armonía entre la jefa y sus empleados es imprescindible. Si buscas defectos en tu gente o si creas grupos favorecidos o desfavorecidos, el personal del departamento no podrá concentrarse en sus deberes y perderá el tiempo con los juegos mentales de la jefa, que son un camino seguro hacia el fracaso.

5. *Incapacidad de establecer disciplina.* Aunque tu cargo lleva consigo la autoridad y el poder, el título por sí mismo no te garantizará dirigir a tu equipo con tino. Tienes que ganarte su respeto. La imposibilidad de implantar disciplina entre tu gente normalmente se debe a una falta de confianza y de visión. Si no has marcado ningún objetivo o los pasos para llegar a ellos o si estás confusa sobre cuáles son las prioridades de tus proyectos y das directrices vagas, el caos que crearás empantanará a todo tu equipo.

Sun Tzu lo explica así:

> Si la general es débil y nada severa, si sus órdenes no son claras, si ni soldados ni oficiales disponen de reglas constantes y sus formaciones se dispersan en todas las direcciones, la derrota es segura.

6. *Una jefa con poca formación.* Carl von Clausewitz, que escribió en el siglo XIX el libro más importante de Occidente sobre estrategia bélica: *De la guerra*, dijo: «No hace falta entender nada sobre cómo hacer un carro o el arnés de un caballo de batería, pero tiene que saber exactamente cómo calcular la marcha de una columna, bajo circunstancias diferentes, según el tiempo que requiera».

Lo mismo vale para las personas que mandan en una oficina. Una jefa no tiene que saber cómo hacer todas las tareas de cada trabajador, pero tiene que tener la información necesaria sobre la competencia, conocer sus limitaciones y saber utilizar sus recursos para sacar el máximo partido. Si no tienes esas capacidades, el desastre se avecina.

11

Nueve campos de batalla: Sé más competitiva haciendo menos

El título del capítulo 11 de Sun Tzu consiste en las palabras «nueve» y «tierra» (se refiere a las nueve variaciones de territorio que encontrarás una vez hayas entrado en tierra enemiga). En esencia este capítulo trata sobre qué estrategias adoptar cuando estás «invadiendo» territorio ajeno, pero ¿qué quiere decir esto para nosotros?

Hacer negocios consiste en entrar en nuevos territorios. El marketing estratégico es una forma de «intrusión» en el territorio de los demás y el progreso personal también lo es. En el apartado 11.1, explicaré cómo utilizar el principio de los nueve campos de batalla para conseguir adentrarse en el nuevo mercado, introducir una idea que debe sustituir a otra o luchar por un puesto que alguien ocupaba anteriormente.

En este capítulo, Sun Tzu también nos aconseja: « Sé como una doncella. Cuando el enemigo abra la puerta, sé rápida como una liebre». Es decir: «Muéstrate menos amenazadora de lo que en realidad eres y cuando el enemigo abra la puerta, entra corriendo».

Como el maestro Sun escribía para un público masculino, démosle la vuelta al consejo. Si quieres competir con eficacia en el actual mundo de los negocios, no solo necesitas tus cualidades femeninas, también debes sacar tu lado «masculino». Por esta razón, en el punto 11.2 nos ocuparemos de algunas de las cualidades que se han considerado «positivas» o «negativas», «femeninas» o «masculinas». Estas etiquetas están totalmente aceptadas tanto en los campos de batalla de Oriente como en los de Occidente, pero es hora de pensar de otro modo. Si este libro aún no te ha hecho reflexionar acerca de lo que significa ser mujer (o sobre la delgada línea que separa las cualidades positivas y las negativas), el apartado 11.2 lo hará.

11.1. Los nueve campos de batalla para el progreso personal y el marketing empresarial

> Atendiendo al arte del uso de las tropas hay terrenos de dispersión, terrenos marginales, terrenos de confrontación, terrenos de encuentro, terrenos de convergencia, terrenos de diligencia, terrenos peligrosos, terrenos cercados y terrenos mortales.

Según muchos historiadores chinos y japoneses, el capítulo 11 es el más caótico y desorganizado de *El arte de la guerra*. Estoy de acuerdo con ellos.

Obviamente, no creo que el libro se pueda leer de forma lineal. De hecho, hay conceptos que se introducen en el principio del texto que pronto se dejan de lado y solo se retoman posteriormente, del mismo modo que en un diario personal se salta de pensamiento en pensamiento, volviendo a las ideas inacabadas solo cuando la mente está preparada. Así que para ayudarte a entender este capítulo, lo he reorganizado temáticamente en vez de ceñirme a la estructura original de monólogo interior.

Empecemos:

1. TERRENO DE DISPERSIÓN

> En terreno de dispersión hay guerras civiles, los reyes y los señores están luchando entre ellos. Por lo tanto, en terreno de dispersión se debe evitar el combate.

Sun Tzu no explica enseguida y con claridad por qué no se debe luchar inmediatamente en guerras civiles. Más tarde nos dice:

> Los hombres de Wu y los de Yue se odian mutuamente pero si, al atravesar un río en la misma embarcación, irrumpe una tormenta, se prestarían auxilio unos a otros como lo hacen la mano derecha y la mano izquierda.

Estrategia: Digamos que tu empresa está pensando en lanzar tu marca en un nuevo país o mercado y es probable que ya haya varias compañías luchando por esa valiosa porción de mercado. No dejes que conozcan tus intenciones y tu presencia enseguida. Haz tus trabajos preparatorios sin hacer ruido mientras ellos se pelean, y aparece de golpe cuando estén demasiado ocupados para darse cuenta. En cuanto vean que tienen un enemigo común, se unirán para luchar contra ti y mantenerte fuera. Tu plan se desmoronará antes de que puedas llevarlo a cabo.

Progreso personal: Si estás haciendo entrevistas para un trabajo y crees que podrías ascender rápido, no lo digas hasta que te hayan contratado. Si pareces demasiado ambiciosa incluso antes de empezar el viaje, te encontrarás con obstáculos inimaginables.

Muchos jefes quieren que sepas cuál es tu sitio y que hagas bien tu trabajo para que su vida sea más fácil. (Nota: Tienes que mostrarte predispuesta y entusiasta para el trabajo para el que te están entrevistando, pero intenta equilibrarlo con la humildad que da a entender que estás dispuesta a cumplir con tu obligación y sacar adelante las tareas administrativas que van asociadas con el puesto.) Si se te ve demasiado interesada en subir otro escalón, puede que no te contraten. Muchas empresas buscan una abeja obrera, no una abeja reina; eso vendrá más tarde.

2. TERRENO MARGINAL

No te detengas en terreno marginal.

De nuevo, la explicación está escondida más adelante en el texto. El maestro Sun explica:

> Cuando el ejército penetra superficialmente en territorio enemigo, se trata de un terreno marginal; no se ha establecido, así que las tropas enemigas lo pueden echar fácilmente.

Estrategia: Cuando entres en un nuevo mercado, tienes que concentrar rápidamente tus recursos en establecer tu marca. Si te retrasas o dudas antes de tener las raíces bien plantadas en el nuevo mercado, se te puede eliminar con facilidad porque los clientes no se sienten identificados con tu marca o no han desarrollado su lealtad al producto. Cuando los compradores no están comprometidos puedes salir del mercado tan rápido como entraste. No te detengas, muévete velozmente hacia delante. Lo mismo vale para el lanzamiento de una nueva idea o iniciativa en tu empresa. No hables de tus planes antes de estar segura de que puedes llevarlos a término; avanza en una rápida acción para que todo el mundo esté aún prestando atención cuando informes de tu primer éxito.

Progreso personal: Cuando acaban de contratarte, tienes que hacer tu trabajo con rapidez y diligencia. Al principio tu jefe no te valorará, pero no abandones. Solo gracias a tu eficaz trabajo te convertirás en indispensable.

3. TERRENO DE CONFRONTACIÓN

> El terreno de confrontación es beneficioso para ambos contendientes. En este terreno no se debe atacar.

Estrategia: La lógica de por qué no se debe atacar en este campo de batalla se halla en otro fragmento aparentemente irrelevante del texto. Si acabas de llegar, no vayas a por el territorio más deseable y provechoso; si lo haces encontrarás una fuerte oposición. Tienes que entrar en el mercado a través de un segmento que el resto ha rechazado. Gran consejo.

Wal-Mart es un buen ejemplo. Mientras que la mayoría de grandes almacenes luchaban por los solares urbanos más apetecibles para situar en ellos sus tiendas, Wal-Mart fue a los suburbios menos deseados e hizo su apuesta. Y se convirtió en los grandes almacenes de más éxito en Estados Unidos.

Progreso personal: No apuntes a los puestos que todos quieren. Cuanto más deseable sea el cargo, más peligroso será el asiento. Cuanto mayores sean las expectativas, más gente habrá intentando encontrar defectos a tu proceder. En un puesto de este tipo, cometerás todos tus errores debajo de los focos y muchas personas están esperando ver cómo te derrumbas, y lo más rápido posible. Si caes en desgracia, volver a la cima te puede costar años.

Después de haber triunfado en tu primer puesto, pídele a tu jefe nuevas responsabilidades. Dile que te gustaría desarrollar un departamento medio abandonado y hacer que funcione mejor. Pide ser la jefa de uno pequeño que nadie quiera. Aprende y comete tus errores en privado, y conviértelo en una estrella luminosa. Disfrutarás de la gloria reflejada por los logros del departamento y además todos en la empresa se fijarán en tu buen trabajo.

De este modo, cuanto menos competitiva seas más podrás conseguir.

4. TERRENO DE ENCUENTRO

El terreno que es accesible tanto para uno mismo como para el enemigo es un terreno de encuentro. En este territorio no intentes bloquear el camino del enemigo.

Estrategia: En este fragmento Sun Tzu te aconseja que no bloquees la entrada de tu enemigo en terreno de encuentro. En el mundo de los negocios piensa en el mercado libre como un ejemplo perfecto de este terreno. Es inútil que intentes frenar la entrada al mercado a tus competidores; siempre encontrarán el modo de acceder, a menudo con la ayuda de leyes gubernamentales antimonopolio. En 2004, la Comunidad Europea sancionó a Microsoft con una multa de 497 millones de euros por abuso de «posición dominante» de su sistema operativo Windows. A Microsoft se le dio un plazo de ciento veinte días para que compartiese con sus rivales los códigos de programación para asegurar que los productos de los contrincantes se pudiesen usar en los ordenadores con Windows.

Progreso personal: No pretendas llevarte todo el mérito (¡aunque creas que lo mereces!). Deja que tu equipo destaque siempre que sea posible. A nadie le gusta una superestrella ávida de atención.

5. TERRENO DE CONVERGENCIA

El terreno que pertenece a varios países es un terreno de convergencia. Quien ocupe este terreno debe crear alianzas con los países vecinos. Pero quien no conozca los planes de los reinos vecinos no podrá prever sus alianzas.

Estrategia: Si estás rodeada de múltiples competidores, en lugar de atacar a cada uno de ellos ¿por qué no creas una empresa conjunta, una distribuidora o compras una compañía competidora? Si tu empresa quiere entrar en un nuevo mercado, ¿por qué no buscas un negocio existente o una marca seria a la que unirte o les compras su parte y absorbes su mercado? ¿Por qué pelear si no es necesario? Aunque para crear sociedades debes entender el pensamiento de tu posible socio.

Sin ir más lejos, tenemos el ejemplo de una de las rivalidades empresariales más famosas de Estados Unidos que podría haber creado una poderosa sociedad y, sin embargo, no fue así. A principios de 1930 el dueño de Pepsi-Cola, Charles Guth, se dirigió a Coca-Cola con una oferta de venta pero Coca-Cola la rechazó. El resultado... ya sabes cuál es.

Progreso personal: Si en tu trabajo eres amable eso te abrirá caminos, ganarás amigos y respeto; influirás en las personas con más eficacia y menos esfuerzo. Aunque estés en la cumbre necesitas que apoyen tu causa. Saber cómo piensan y trabajan tus compañeros, y apoyarles cuando sea posible, te ayudará a entablar relaciones duraderas. Quizá tu compañero y tú decidáis crear vuestra propia empresa; tu actual secretaria mañana puede ser la directora de una compañía rival.

6. TERRENO DE DILIGENCIA

Sun Tzu definía este campo como el momento en que

> se penetra en territorio enemigo dejando numerosas ciudades a la espalda; saquea las tierras fértiles del enemigo de modo que el avituallamiento del ejército quede satisfecho.

El maestro Sun también nos enseña cómo llegar a este campo:

> Adéntrate profundamente en el territorio, solo entonces dejarás claro que estás centrado y decidido a ser el vencedor.

Su conclusión:

> Para controlar al enemigo se necesita capturar lo que más valora.

Estrategia: No hay nada que tu competidor valore más que su porción de mercado. El campo del lanzamiento de un producto llega cuando has establecido tu marca y te has ganado la confianza de los consumidores. Ya te has asegurado tu mercado territorial, ahora te toca expandir tu compromiso y dedicar tus recursos a saquear las ganancias del resto de los que están en el mercado. Después de todo, sacarles un buen beneficio a tus competidores es la razón por la que empezaste este viaje.

Progreso personal: Has hecho tu trabajo, lo has hecho con seguridad, lo has hecho bien, has interpretado un papel que nadie quería y aun así te las has arreglado para brillar. Ahora has entrado en los ricos y fértiles campos donde hay gran cantidad de beneficios que recoger. Disfrútalo. No obstante, ten cuidado: cuando saqueas, tus acciones pueden tener consecuencias negativas. Sé de muchos políticos que una vez que llegaron al puesto de sus sueños saquearon ilegalmente. Algunos fueron a la cárcel. En China, a algunos los ejecutaron.

7. TERRENO PELIGROSO

> Atravesar montañas y bosques, pasajes estrechos y accidentados, pantanos y ciénagas y, en general, vías difícilmente transitables, en eso consiste un terreno peligroso. En este terreno se debe avanzar rápido. Quien no se sirva de un guía local no podrá obtener ningún beneficio del terreno.

Estrategia: Cuando te resulte difícil entrar en un mercado, recuerda que tus competidores experimentan las mismas dificultades que tú. En este caso, el que pase primero por el terreno difícil será el ganador. La general con la mayor comprensión del Di (terreno) o la que haya empleado al mejor guía local (o en nuestro mundo el mejor asesor) ganará.

La aldea global actual está llena de campos difíciles. Esto incluye tabúes culturales y desconfianza, diferentes formas de hacer negocios y barreras políticas y burocráticas. Una líder no tiene que conocer todos los secretos de los negocios en cada país, pero debe actuar con la inteligencia de contratar a los mejores asesores para que la guíen a través de los terrenos desconocidos.

Progreso personal: El campo difícil en tu oficina puede ser un compañero, cliente o un jefe problemático. En mi opinión, es más complicado sortear a la gente difícil que un terreno montañoso o empinado. Cuando trabajas con este tipo de personas, es de gran ayuda buscar a alguien a quien ellos respetan o con quien se llevan bien. A lo mejor puedes hacer que este intermediario o intermediaria organice una cena o actividad informal para rebajar la tensión. (La comida tendrás que pagarla tú, claro.) Sea lo que sea lo que escojas, tienes que desvivirte por mostrar tu amistad y apoyo cuando menos lo espera. Puedes hacerlo, por ejemplo, en una reunión de trabajo en la que los demás no estén de acuerdo con una propuesta hecha por esta persona difícil, señalando el valor de esa propuesta (aunque no tienes que mentir sobre el valor del proyecto si no tiene ninguno). Muchas veces, la gente nos irrita porque tiene las mismas cualidades que nosotros, así que mira más allá de las cosas que te molestan y reconoce el talento de la otra persona. Aprende a ser generosa con tu apoyo, los demás lo recordarán y te devolverán el favor.

8. TERRENO CERCADO

El terreno al que se accede a través de un estrecho desfiladero y cuya salida es tortuosa, y que permite a unos pocos hombres atacar el grueso de nuestras tropas, es un terreno cercado. Cuando se está atrapado en este territorio, se debe recurrir a la estrategia. Si no hay ninguna disponible, en terreno cercado bloquea las salidas.

Estrategia: A finales de los años setenta, China abrió su mercado a Occidente y en la década de los ochenta y de los noventa las empresas occidentales entraron entusiasmadas en el mercado chino. Pero se encontraron con que habían accedido a un campo cercado; la competencia era feroz y el número de clientes potenciales todavía era relativamente pequeño. Solo había una entrada (con dinero en efectivo) y una salida (sin dinero en efectivo). Empresas como Kentucky Fried Chicken y McDonalds, que entendieron que si abandonaban perderían un puesto dominante en un mercado que aún no había llegado a su mejor momento, han experimentado un crecimiento formidable en el mercado chino.

Progreso personal: ¿Qué hacer si te encuentras en una situación en la que parece que no hay salida, tu nueva iniciativa ha fracasado o tu empresa está en un buen lío? Puedes utilizar las estrategias que has aprendido para planear una huida o quedarte y luchar hasta la muerte, estratégicamente. Asegúrate de que cualquier decisión que adoptes esté en armonía con el Tao. Esto es lo que hizo Sherron Watkins, la denunciante de la empresa Enron, cuando escribió su ahora famoso memorando al ex director ejecutivo Kenneth Lay comunicándole: «Estoy muy nerviosa porque cabe la posibilidad de que entremos en una ola de escándalos por irregularidades contables». ¿Fue la decisión acertada? Ten en cuenta lo siguiente: la revista *Time* nombró a Watkins Personaje del Año mientras el resto de la compañía se derrumbaba.

9. TERRENO MORTAL

> El terreno en el que sobrevivirás si luchas hasta el agotamiento y en el que perecerás si no lo haces es un terreno mortal. La propia psicología de los soldados hace que resistan cuando están rodeados, que luchen cuando no tienen otra alternativa y que obedezcan cuando están en peligro.

Estrategia: Recuerda el concepto del terreno cercado que he explicado anteriormente. Cuando no puedes liberarte del campo cercado, pronto se transforma en «campo mortal». No tienes escapatoria y estás forzada a luchar hasta la muerte, tal como han hecho en China muchas de las empresas consideradas entre las quinientas mejores por la revista *Fortune*, y he de decir que muchas de ellas han tenido éxito. Cuando las empresas occidentales experimentaron grandes pérdidas en la década de los ochenta y los noventa, no tuvieron otra opción que quedarse y luchar hasta la muerte. Todos pensaban que como había aproximadamente mil millones de consumidores chinos, al final habría un cambio en el país y se pasaría de una economía planificada a una de mercado. Las empresas que se quedaron y lucharon ahora están recogiendo grandes beneficios.

Progreso personal: No creo que trabajes duro y superes dificultades increíbles solo por una nómina. La mayoría de nosotras somos auténticas guerreras que buscamos la perfección en nuestras profesiones para demostrarnos que somos tan buenas como creemos ser. Tus superiores quizá no reconozcan tu talento y no te recompensen con el salario y el puesto que mereces. Sin embargo, necesitas luchar hasta la «muerte» para demostrarte que eres invencible. Incluso cuando tu cuerpo está herido, tu alma mermada y tu mente agotada, hay una fuerza interior que se niega a morir y a rendirse. Cuando tú y yo sobrevivamos y salgamos del campo mortal quizá no nos encontremos con aplausos o con un ascenso, pero en lo más profundo de nuestros corazones habremos ganado algo, saber que somos indestructibles. Con el tiempo, el universo se unirá para cantar tus alabanzas.

11.2. Acepta lo mejor de las energías masculinas y femeninas

> La correcta adopción de la fuerza [masculina] y de la suavidad [femenina] depende de la comprensión de cómo utilizar el Di [los recursos].

Hace poco me ofrecieron participar en una importante conferencia de negocios; entre los ponentes estaba el ex presidente

Gerald Ford, el entonces primer ministro de Inglaterra John Major, el ex congresista Jack Kemp, el ex senador Bill Bradley, el comentarista político televisivo George Hill y la ex estrella de fútbol americano Terry Bradshaw.

Era la única mujer conferenciante y durante los cuarenta y cinco minutos de mi discurso expuse que el ser humano perfecto era aquel que era mitad hombre mitad mujer. Es decir, para ser eficiente una mujer necesita algunas cualidades masculinas, y por la misma razón, un hombre que admita cualidades femeninas será mejor jefe, mejor hombre de negocios y mejor padre y marido.

Aunque solo tardé cinco segundos en pronunciar esta afirmación todo el mundo en la conferencia la recordaría mucho después de mi discurso. Las mujeres reaccionaron con una alegría emocional; en cambio, mientras a algunos hombres les gustó, a otros les ofendió la idea de que necesitasen aceptar algunas características femeninas para ser mejores en sus puestos de trabajo y en sus hogares. No importa cómo se sintiesen sobre lo que dije, les hizo pensar.

Por qué necesitas cualidades masculinas y femeninas

Hace unos doscientos años el gobierno francés regaló a Estados Unidos la Estatua de la Libertad como símbolo de la vitalidad, fortaleza y belleza de la nueva nación... nadie puede negar el encanto de la estatua. Aunque ejemplifica el concepto que tenemos de «belleza femenina» su rostro también muestra con claridad la fuerza y determinación masculinas.

El *David* de Miguel Ángel se considera una representación inspirada de la mayor perfección del hombre, pero lo que hace que sea tan maravillosa no es solo su cuerpo musculoso, sino su incuestionable sensibilidad. Lo que diferencia una gran obra de arte de una obra maestra es la facilidad con la que podemos reconocer en ella nuestra humanidad. Tanto si te centras en sus atributos masculinos como si lo haces en los femeninos, no se puede negar su poderosa belleza.

Sin pensarlo, un día mientras impartía un seminario a mujeres decidí que las asistentes dijesen en voz alta los diversos atributos que pensaban que eran dominantes en cada uno de los sexos. Con su ayuda elaboré una lista con las características positivas y negativas de los hombres y las mujeres. Aunque esta lista no es en absoluto científica ni siquiera correcta, arroja luz sobre los prejuicios que nos guste o no muchas personas continúan teniendo a pesar de ser inteligentes y de tener una mente abierta. Estas son las características que las mujeres citaron:

CUALIDADES MASCULINAS NEGATIVAS	CUALIDADES FEMENINAS NEGATIVAS
Arrogante	Mandona
Exigente	Sensible
Egoísta	Envidiosa
Inmaduro	Chismosa
Insensible	Indecisa
Perezoso	Insegura
Machista	Voluble

Condescendiente	Perfeccionista
Egocéntrico	Mezquina
Desagradecido	Tímida

CUALIDADES MASCULINAS POSITIVAS	CUALIDADES FEMENINAS POSITIVAS
Aventurero	Flexible
Analítico	Comprometida
Audaz	Creativa
Centrado	Empática
Generoso	Independiente
Controlador	Intuitiva
Lógico	Apasionada
Sin prejuicios	Práctica
Honrado	Fuerte
Fuerte	Sensible

Reconsiderar lo masculino y lo femenino

Después de examinar las cualidades positivas y negativas atribuidas a los dos géneros, observo muchas contradicciones y falsas suposiciones. La lista no trata sobre hombres y mujeres; más bien cita lo que tradicionalmente se ha entendido como cualidades masculinas y femeninas.

Algunas mujeres poseen grandes dosis de cualidades masculinas y en algunos hombres predominan las cualidades femeninas. Pensamos en emociones como el amor, la inseguridad, el miedo, los celos, la envidia y la vergüenza como femeninas; y de hecho las comparten hombres y mujeres. El género femenino no tiene los derechos exclusivos para ser «demasiado» sensible.

Durante uno de mis seminarios, una persona llamada Pat preguntó cómo podía mejorar sus aptitudes para gestionar el tiempo, puesto que tenía demasiado trabajo en la oficina. A medida que le hacía preguntas a Pat me di cuenta de que el problema no residía en cómo gestionaba el tiempo. El motivo por el que tenía tanto trabajo y tan poco tiempo para llevarlo a cabo se debía a que nunca decía que no a la gente que le daba trabajo.

En la sesión de la tarde formuló otra pregunta, esta estaba relacionada con una empleada problemática que actuaba como si fuese la jefa del departamento en lugar de Pat. Le hice unas preguntas y me di cuenta de que los problemas de tiempo y las dificultades con la empleada se debían a que no era capaz de enfrentarse a nadie o mostrar autoridad o firmeza.

Mientras leías esta historia es probable que hayas pensado que Pat era una mujer. Te equivocas. El nombre completo de la persona que me hacía las preguntas es Patrick. La falta de firmeza no es patrimonio de las mujeres; a los hombres les ocurre en la misma medida.

Regresa a las características positivas y negativas masculinas y femeninas, y comprueba cuáles encajan contigo. Si crees que tienes pocas cualidades masculinas, fíjate en un compañero de quien respetes su trabajo y su estilo. Elige las facultades que más admiras en él (quizá sea muy bueno estableciendo nuevos contactos, quizá no sienta miedo de lanzar ideas nuevas y arriesgadas) y piensa en integrarlas sutilmente en tu personalidad.

Pero recuerda las lecciones de Sun Tzu: ser más masculina o femenina depende de la situación en la que te encuentres. No tienes que encasillarte en un estilo determinado, tienes que ser flexible.

Lo creas o no, en este aspecto tu vestuario puede ser de gran ayuda. Si crees que últimamente has resultado severa o agresiva, deberías ponerte un pañuelo claro o llevar debajo de tu traje de negocios lencería sexy para que te aporte la sensación de feminidad interior que necesitas. Si en los últimos tiempos te has sentido demasiado pasiva prueba a ponerte un traje negro de ejecutiva. Sea cual sea la prenda con la que te vistas asegúrate de que te resulta cómoda y que es adecuada. Pero recuerda: no hay vestimenta que pueda compensar la falta de equilibrio interior; cuando pienses en cambiar tu apariencia exterior no olvides la interior.

Lo mejor de los dos mundos

En el mundo laboral con ser competente no basta; hay muchas mujeres competentes. Aquella que es responsable y muestra su liderazgo a través del equilibrio entre su fuerza masculina y su fuerza femenina es ese diamante especial en una montaña de cuarzo.

12

Ataque con fuego: Protégete del fuego

> El reino que ha sido aniquilado no recobra la existencia ni los muertos la vida. Por esta razón el soberano inteligente actúa con prudencia y la buena general lo hace con precaución. Esta es la vía que permite llevar la tranquilidad al reino y preservar el ejército.

El capítulo 12 de Sun Tzu habla principalmente de cómo utilizar el fuego para eliminar al enemigo. Dado que el maestro Sun vivió inmerso en una guerra civil que duraría quinientos cincuenta años, sabía que incendiar el campamento de tu enemigo es una forma de conseguir la victoria total.

Sin embargo, al final del capítulo nos avisa de que el fuego puede destruir reinos y matar personas. Cuando un reino ha sido destruido, no se puede levantar de nuevo; del mismo modo que cuando un hombre ha muerto, no puede volver a la vida. Sun Tzu no estaba abogando por la aniquilación irresponsable de naciones y vidas, y su aviso es una afirmación excepcionalmente pacifista para estar incluida en un libro sobre la guerra.

El mensaje de este capítulo es que si tienes que luchar, debes conseguir la victoria total. Esta afirmación plantea una pregunta: ¿cuándo tengo que luchar y por qué debo hacerlo?

En el apartado 12.1 consideraremos qué sucede cuando alguien te incendia —metafóricamente hablando— y qué puedes hacer al respecto. En el apartado 12.2 reflexionaremos sobre cómo podemos adoptar el poder de resistencia del agua como estrategia defensiva y ofensiva.

12.1. Resurgir de las cenizas

> La buena estratega, sin beneficio, no se pone en acción; si no puede obtener la victoria, no utiliza el ejército; si no se encuentra en peligro, no combate.

No importa lo pacífica y sencilla que seas, en algún lugar ahí fuera hay alguien calculando cómo conseguir mejorar su situación a tus expensas. Ni tan siquiera un genio como Albert Einstein se libró de ello. Durante su carrera, sus rivales intentaron demostrar que su teoría unificada era falsa.

Todas experimentamos injustos ataques personales y profesionales de menor o mayor intensidad. No hay forma de prevenir estos ataques; no importa el cuidado que tengas, el fuego puede encontrar el camino hacia tu puerta. Afortunadamente, hoy en día la violencia física en el ambiente laboral no es habitual. Pero lamentablemente, los ataques a tu reputación sí lo son, como deja claro la siguiente historia.

Cuando tenía veintitantos años, Vivian trabajaba de supervisora de cuentas en un gran banco. Deseaba que la aceptasen en el programa de dirección que tenía que prepararla para ser directora, pero siempre que solicitaba participar en el programa, la rechazaban.

Un día la llamó su supervisora, Linda, y le dijo que por fin la habían aceptado gracias a su recomendación.

Al día siguiente, Linda no fue a trabajar y Vivian oyó que había dejado la empresa. Estaba sorprendida, claro, pero comprensiblemente, estaba más preocupada por saber cuándo iba a comenzar el curso de dirección. Vivian fue al jefe de Linda, George, para averiguarlo. «Enhorabuena —dijo George—. No sabía que te habían aceptado, por lo que no tengo los detalles. Voy a ponerme en contacto con Linda.»

Más tarde, George llamó a Vivian para que acudiese a su despacho: «Linda dice que esa conversación jamás ha tenido lugar y que te lo has inventado todo».

Nada que dijese Vivian podía convencer a George puesto que no entendía qué ganaba Linda mintiendo. Al poco tiempo Vivian dimitió. Perder la oportunidad de mejorar no era nada comparado con que la tachasen de mentirosa y oportunista. Era una mancha que no podría eliminar. Linda se había encargado de que Vivian no tuviese futuro en el banco.

Todavía hoy, Vivian no sabe por qué Linda actuó de ese modo. ¿Se debía a que el ex jefe de Linda, Bob, había ascendido a Vivian muy rápido? ¿El hecho de que Bob se hubiese saltado la cadena de mando, y ascendiese a una de las empleadas de Linda, provocó su resentimiento? No parecen motivos suficientes para mentir.

«¿Se debía a que era de color?», se preguntaba Vivian. No

podía imaginar que Linda cayera tan bajo. Otras personas pensaron que eran celos: Linda es una mujer de unos treinta años, baja y con sobrepeso; Vivian es joven, delgada y muy atractiva. Sopesó todos los posibles motivos, pero siguió sin encontrar una buena razón que hubiera podido llevar a Linda a tenderle esa trampa.

Esta situación tan frustrante refleja una terrible verdad: no siempre sabes por qué las personas actúan de determinada manera, simplemente lo hacen.

Quizá nunca sepamos los motivos de Linda, pero es un hecho que incendió con crueldad la buena reputación de Vivian.

La pregunta entonces es: ¿qué puede hacer para salir de las cenizas de su reputación empañada? Es decir, ¿qué puede hacer para minimizar el daño que le ha causado Linda? Cuando Vivian me pidió consejo le propuse tres opciones. Es evidente que la estrategia que elijas dependerá de tu personalidad y de las circunstancias.

1. *Prende fuego y deja que arda.* Tras dejar la empresa, Vivian se sentía muy triste, quería venganza. Pero Linda se había marchado a otra empresa e incluso a otra ciudad; Vivian no podía llegar a ella. Le dije que podía escribir un artículo anónimo sobre el incidente (disfrazando algunos de los detalles y los nombres implicados para evitar un posible pleito) y colgarlo en el *blog* del banco; por un lado para dar por zanjada la cuestión, y por otro para alertar a las personas interesadas en el programa de dirección que se implicasen más si querían que las eligiesen. Así Vivian compartiría lo que había aprendido a su pesar: no debes dejar que tu ascenso dependa de una única persona; hazte visible para que el mayor número posible de

personas en tu empresa se alegre de poder ayudarte a que asciendas profesionalmente.

También le recomendé que esperase aproximadamente un mes antes de colgar el artículo, así se aseguraría de que, una vez la situación se hubiera calmado, seguía queriendo vengarse.

Vivian lo escribió, decidió seguir mi consejo y cambió los nombres y los detalles; el mero hecho de escribirlo la alivió. Superó el dolor que había sufrido y ha aprendido a no dejar su destino en manos de una jefa, posiblemente rencorosa. En la actualidad, cuatro años después, Vivian es la directora de recursos humanos en una importante empresa farmacéutica.

2. *Aprovecha tu instinto asesino.* Vivian podría haber ido mucho más lejos, en lugar de solo haber escrito un correo anónimo en la página web del banco podía haber seguido la pista de Linda y haber destruido su carrera. Pero le pedí que aprovechase su instinto asesino y encauzase esta energía hacia algo más productivo.

Para tener éxito en los negocios debes tener la voluntad de acabar el trabajo. Entre los toreros están aquellos que cuando torean se acercan a los cuernos, dando muestras de su gran valor y de su técnica; sin embargo, a los buenos se les reconoce por cómo actúan en el momento decisivo: cuando llega el instante de matar al toro de forma rápida y limpia. La valentía para acabar la faena, ese es el instinto asesino. Es la fuerza que nos impulsa a emprender las acciones adecuadas y a mantenernos en el camino de los objetivos apropiados.

El instinto asesino reside en cada una de nosotras. Gracias a las reglas y leyes sociales consideramos la idea de matar repugnante; sin embargo, este instinto sigue ahí. Simplemente debemos aprovecharlo de forma no violenta y utilizarlo para llegar a nuestros objetivos.

Vivian quería saber cómo podía estar en contacto con su instinto asesino sin dañar a nadie ni a nada. Por extraño que parezca le dije: «Vete a casa, prepara masa para crepes y aprende a dar la vuelta a una crepe en una sartén».

Como puedes imaginar no es tarea fácil:

Empieza moviendo la sartén para que la crepe se deslice de un lado a otro. Una vez has conseguido el impulso lanzas la crepe al aire con la suficiente fuerza para que dé la vuelta y después la recoges de nuevo en la sartén.

Si eres demasiado cautelosa y te preocupa que tu crepe vaya demasiado arriba y no caiga en la sartén, nunca la lanzarás con la suficiente fuerza para que se dé la vuelta.

Por otro lado, si usas demasiada fuerza es posible que la crepe caiga en la cocina y no en la sartén o que se pegue en el techo.

Cuando vas a lanzarla, primero debes hacer una pausa y ponerte en contacto con tu estado de ánimo que es el que te aporta la fuerza, el control y la valentía adecuados. Tienes que compensar tu precaución (¿qué sucede si la tiro?) con la agresividad acumulada: «¡Mira cómo lanzo la crepe!».

Observa con detenimiento cuál era tu estado interior justo en el momento en que la has lanzado al aire y ha caído donde correspondía. Cuando hayas logrado ese estado de ánimo, piensa en cómo crearlo de nuevo sin la sartén en la mano. Actuar de este modo te ayudará a encontrar el equilibrio que necesitas para cultivar el instinto asesino.

Quizá aprender a lanzar una crepe no parece una lección muy profunda, pero en el proceso existe una verdad que trasciende esa acción. No importa si estás utilizando tu instinto asesino para vencer a la competencia o para darle la vuelta a una crepe, en ambos casos se trata de lograr el estado de fuerza, control y objetividad perfectos. Estos son los atributos que necesitas para convertirte en inmune al fuego.

3. *Primero identifica el Li (beneficio).*

La buena estratega, sin beneficio, no se pone en acción.

A lo largo del libro, Sun Tzu trata sobre la importancia de «Li» o «beneficio». Según su opinión el posible beneficio debería ser la motivación de toda fuerza militar. Es decir, nunca deberías dar un paso sin antes haber identificado los beneficios de la acción planeada.

Le dije a Vivian: «Haz que tu instinto asesino se tranquilice. Deja que Linda se vaya, pero conserva la ira que sientes por lo que te ha hecho y utilízala para luchar en futuras batallas».

No todas las batallas merecen ser libradas. Que no ataques a alguien que te ha herido no significa que no tengas instinto asesino, solo indica que estás eligiendo con sabiduría las batallas.

No había una razón real para que Vivian atacase a Linda con todas sus fuerzas; después de todo, tampoco le había hecho un daño real. De acuerdo, había perdido su puesto en el banco pero ese tipo de trabajo es fácil de encontrar. Sí, Linda había herido a Vivian profundamente, pero el resultado era que Vivian se había hecho más fuerte.

Elige con sabiduría tus batallas

Tal como dice el proverbio chino: «El oro verdadero no teme a la prueba de fuego».

Nadie tiene que ir a matar para probar que es fuerte. Y si prendes fuego a la carrera de otros en tu propio beneficio, solo espera... alguien en algún momento te devolverá la llama, pero con más fuerza. Es cierto el dicho: quien juega con fuego se quema. Si alguien se propone destruir tu nombre o tu carrera, créeme: no podrá hacerte daño a no ser que tú se lo permitas.

Una vez que comprendas esto debes decidir si vale la pena librar esa batalla.

12.2. Resistencia: protégete del fuego con el agua

> Así, servirse del fuego para secundar la ofensiva muestra inteligencia; servirse del agua para secundar la ofensiva muestra fuerza.

Tal como aclara Sun Tzu, saber cómo atacar con fuego es solo una parte de la batalla. Una general poderosa también debe conocer el poder del agua; después de todo, en una lucha entre el fuego y el agua es la última la que perdura. Tú también puedes aprender a aprovechar el poder del agua para protegerte del fuego: el secreto reside en la resistencia. Y no es ningún misterio que la resistencia es un terreno en el que las mujeres sobresalimos.

Cuando solo tenía quince años, la nadadora estadounidense Lynne Cox batió las marcas mundiales masculina y femenina cuando cruzó el canal de la Mancha (un estrecho de 34 kilómetros) en nueve horas y treinta y seis minutos. En su libro *Swimming to Antarctica*, Cox describe su extraordinario viaje en el que echó por tierra ideas equivocadas sobre la fortaleza de la mujer. Son muchas las personas que creen que los hombres son superiores en todos los deportes; no obstante, como demostró Cox, el cuerpo de las mujeres está mejor preparado para soportar las frías temperaturas de las aguas abiertas.

Cox no solo ayudó a acabar con estereotipos al ser la primera persona que nadaba en las peligrosas aguas del estrecho de Magallanes y el cabo de Buena Esperanza; también fue la primera en cruzar el estrecho de Bering, el límite entre Alaska y Siberia, abriendo la frontera entre Estados Unidos y la Unión Soviética por primera vez en cuarenta y ocho años. Tal como dijo: «El motivo por el que he atravesado a nado el estrecho de Bering es para mirar al futuro, cruzar la línea temporal internacional y tender un puente simbólico entre Estados Unidos y la Unión Soviética. Se trataba de generar buena voluntad y paz entre los dos países y nuestras gentes». Atravesar este estrecho hizo que para ella la natación no solo consistiese en lograr plusmarcas sino también en «establecer puentes entre los países».

Aunque no todas las mujeres tienen la misma capacidad atlética que Cox, su historia nos muestra que somos capaces de conseguir grandes cosas si nos lo proponemos. No solo demostró a aquellos que no confiaban en ella que estaban equivocados, como un taxista que dijo: «No pareces una nadadora que atraviese canales; estás demasiado gorda». (Irónicamente la grasa de su cuerpo es lo que la ayudó a soportar la agotadora travesía.) También hizo que sus asombrosas capacidades fuesen un símbolo del trabajo en equipo (sus travesías no hubiesen sido posibles sin la ayuda de entrenadores y de un equipo que controlara la temperatura corporal de la nadadora), empeño y resistencia.

Así como Cox fue capaz de soportar durísimos entrenamientos, el ataque de tiburones, aguas heladas y enormes oleajes, toda mujer es capaz de aguantar ataques con fuego. ¿El secreto? Aceptando el poder del agua.

Este poder reside en su capacidad de conquistar todo lo que encuentra en su camino; a menudo no lo destruye en un instante sino que erosiona la tierra con el paso del tiempo. Al soportar las privaciones a las que toda mujer se enfrenta estamos rompiendo constantemente las desigualdades entre sexos, los prejuicios personales y los ataques políticos mientras nadamos hacia delante silenciosa y firmemente.

Controla los fuegos con el poder del agua

> Si el reino no se encuentra en peligro, no se debe combatir. La soberana no debe movilizar las tropas movida por la cólera, ni la general acudir al combate movida por el resentimiento.

Hace poco una amiga me preguntó: «¿Cómo puedo protegerme de los ataques del fuego?». Mi respuesta fue: «No puedes.

La única persona que puede asegurarse de que no te prendan fuego es aquella que tenga el poder absoluto. Y nadie en todo el planeta lo posee». Muchos creen que el poderoso Alejandro Magno, un hombre cuyo ejército fue capaz de conquistar medio mundo, al final fue envenenado por los generales en los que confiaba.

Ya seas emperador o ejecutivo te arriesgas a levantamientos, revoluciones y golpes de Estado. Si estás en el poder, por definición te arriesgas a que te ataquen aquellos que lo ansían; por ello muchos de los grandes emperadores no esperaban conseguir que la gente no les atacase sino sobrevivir a los ataques. Del mismo modo, los grandes emperadores de China mantenían el poder no porque arrojasen a gente al fuego sino resistiendo.

Dicho esto, aconsejé a mi amiga: «No puedes prevenir esos fuegos, pero sí puedes sobrevivir a ellos».

Hay infinidad de historias de miembros de las cortes reales que han intentado usurpar el poder de sus soberanos. Para muchos de estos consejeros y nobles, mujeres y hombres, sus altos cargos no eran suficiente, llevados por su ego querían el poder absoluto que, como he dicho antes, no es una meta alcanzable. Entonces, ¿por qué los reyes y reinas no echaban o mataban a estos traidores ambiciosos? En algunas ocasiones lo hicieron, pero en la mayoría de los casos los mantuvieron con vida por necesidad. Con frecuencia estos traidores eran buenos en lo que hacían: tenían poder militar o astucia política. Mantener el poder de resistencia del agua era esencial para conseguir que no se volviesen contra el reino.

En 1643, el emperador de la dinastía Manchú o Qing (la última dinastía de China) falleció, dejando como heredero a su hijo de seis años, Shunzhi. En ese período la dinastía Qing se encontraba inmersa en una guerra con la dinastía Ming que ya duraba décadas. Para asegurar el puesto de su joven hijo y la seguridad de la dinastía Qing, la madre del joven emperador, Xiao Zhuang, eligió a su tío Duoergun para que llevase a cabo todas las funciones del emperador hasta que él fuese lo bastante adulto para gobernar. Se decía que parte del precio que Xiao había pagado para asegurar el cargo de su hijo como futuro emperador era consentir ser la amante de Duoergun, una humillación que soportaba por el bien de su hijo.

Después de que la dinastía Qing venciese a la Ming y el general Duoergun muriese, las cosas le fueron mejor a Xiao. O por lo menos hasta que su hijo, entonces emperador, decidió dejar la corte para convertirse en monje budista. Con el corazón roto, Xiao siguió en su puesto y nombró emperador a su nieto de ocho años, Kang Xi. En esta ocasión designó a cuatro generales ancianos y poderosos como reyes para que unidos realizasen las funciones del emperador hasta que su nieto pudiese gobernar.

El rey más poderoso, Aobai, pronto empezó a «robar» las tierras de los ciudadanos, y a aceptar sobornos y matar a aquel que osaba hablar en su contra. El joven emperador y Xiao lo sabían pero no hacían nada para impedirlo porque todavía no tenían el suficiente poder para librarse de él. «Ignoraban» las quejas de los oficiales de confianza y presentaban al general Aobai el respeto habitual. En privado, Xiao le dijo a su enfurecido nieto: «Hasta que no tengas el poder absoluto para destruir a Aobai no hagas nada. Si lo haces acabará contigo».

En 1667, por fin, cuando Kangxi tenía catorce años contrajo las obligaciones del emperador. Con dieciséis años, cuando ya había conseguido suficiente poder y apoyo, arrestó al general Aobai y a su hijo, y los condenó a cadena perpetua. El emperador Kangxi gobernó su país durante sesenta y un años y creó el período de oro de China. Pero sin el consejo de su abuela de domar el fuego que le rodeaba con el poder duradero del agua, se habría quemado con el poder y la avaricia de Aobai.

¿Cómo aplicar esta situación en el trabajo?

Tal como he explicado antes no puedes parar y atacar; pero puedes protegerte del fuego para asegurarte de que no saldrás muy dañada cuando este llegue. La alternativa, como muestra Sun Tzu, es aún peor:

> El reino que ha sido aniquilado no recobra la existencia ni los muertos la vida. Por esta razón la soberana inteligente actúa con prudencia y la buena general lo hace con precaución. Esta es la vía que permite llevar la tranquilidad al reino y preservar el ejército.

Este es el principio que siguió la emperatriz Xiao Zhuang. Se aseguró de que el joven emperador no cometiese ninguna locura y mantuvo a la nación en paz ejerciendo la disciplina de la resistencia. Lo mismo debemos hacer tú y yo, que trabajamos en el complejo terreno de los negocios.

Dos formas de aguantar lo inaguantable

La grafía china para la resistencia está formada por dos símbolos: un cuchillo situado en lo alto de un corazón. Es muy apropiado porque cuando te ves forzada a soportar una situación injusta, la sensación que tienes es la de un cuchillo que te estuviese cortando el corazón. Aquí tienes dos estrategias que te ayudarán a aguantar a esas personas molestas y esas situaciones que te impiden avanzar.

1. *Tienes que ser paciente.* Recuerda la historia de Vivian y Linda. Si Vivian hubiese decidido quedarse en el banco, ¿cómo podría haber aguantado que Linda hubiese manchado su reputación? Con paciencia: aguantando, sabiendo que al final la gente reconocería su integridad y vería a Linda tal como es.

2. *Trasciende la experiencia del sufrimiento.* La palabra *resistencia* implica sufrimiento. Aunque no puedas evitar las causas que te hacen sufrir, puedes trascender la experiencia.

¿Cómo conseguir ese estado? Entendiendo que las personas que te hacen daño o bien están exteriorizando su ignorancia o bien están motivadas por la estupidez; pensaban que ganaban algo hiriéndote. Pero puedes sobreponerte a sus acciones gracias a la fuerza de tu sabiduría mental.

Imagina que tu vida es un cesto y el contenido incluye tanto las buenas experiencias y buenas personas como las malas. Si tu comportamiento sigue el camino del Tao, la justicia, verás las situaciones desagradables como molestias menores que debes superar para llegar al objetivo. Con el tiempo serás incluso capaz de ver estas molestias como lecciones disfrazadas.

Ganar con el poder del agua

> El uso del fuego exige ciertos medios: es preciso disponer del material necesario. Hay épocas favorables para su propagación y momentos apropiados para su desencadenamiento.

Irónicamente, aunque Sun Tzu escribió un capítulo sobre cómo atacar con fuego, nunca reunió las condiciones favorables para prender fuego a su enemigo. Sin embargo, sí tuvo la oportunidad de usar el poder del agua; durante un ataque a la capital de Zhu, desvió el río Zhang para que se inundase la ciudad.

En la actualidad las mujeres no necesitan utilizar el agua; para nosotras tiene mucho más sentido apelar a nuestras habilidades naturales de resistencia. El éxito no llega de la noche a la mañana; a menudo mientras esperas que se presente la oportunidad adecuada pasas años encontrando baches en el camino.

En resumen, cambia lo que puedas y aguanta lo que no puedas cambiar.

REFLEXIÓN

¿Estás experimentando ahora mismo una situación difícil en el trabajo, un compañero conflictivo, un proyecto desafiante, un cargo poco atractivo? ¿Vale la pena soportarlo? ¿Cuáles son los posibles beneficios de aguantar la situación actual? ¿Cuáles son los beneficios de hacer algo para cambiarla?

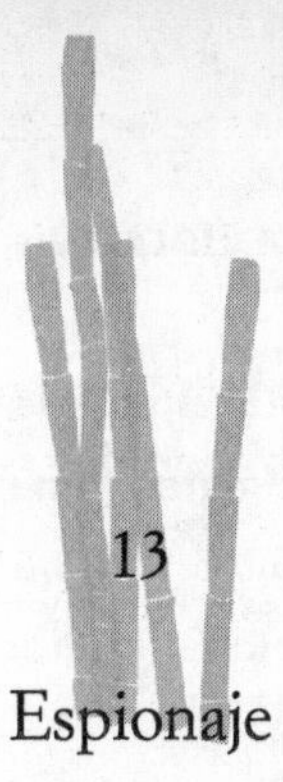

13

Espionaje

En realidad las cosas no han cambiado en dos mil quinientos años. En el capítulo 13 de *El arte de la guerra*, Sun Tzu escribe sobre lo costoso que resulta mantener un ejército y añade: «No se conoce el estado real del enemigo por un celo excesivo respecto a su oro, riquezas y emolumentos».

Según Sun, aquel que se niega a gastar el dinero necesario para conocer a su enemigo: «No será nunca general de las tropas, ni consejero del soberano, ni será jamás digno» de servir a su rey.

¿Cuál es la mejor forma de mantenerte por delante de tus competidores? Obteniendo toda la información posible sobre sus negocios. No importa en qué sector trabajes, existen maneras de espiar a la competencia sin recurrir al espionaje industrial; este es el tema del apartado 13.1.

Es evidente que ninguna de nosotras queremos ser víctimas del espionaje; por ello el apartado 13.2 se centra en cómo puedes protegerte de los estafadores y de quienes quieren espiarte a ti y a tu empresa.

13.1. Espionaje: introducción

Cinco son las clases de espía que pueden emplearse:

1. Los agentes indígenas [una persona que parece compartir el mismo origen que nosotras].
2. Los agentes interiores [un topo en la organización enemiga].
3. Los agentes dobles.
4. Los agentes sacrificables [un espía al que se da información falsa para que sea capturado].
5. Los agentes que hay que preservar [un espía que se espera que sobreviva y traiga la información que ha recogido].

En una ocasión, después de un taller que realicé para los directores ejecutivos y directores financieros de un sector concreto, la conversación dio un giro y hablamos sobre espionaje. Un ejecutivo dijo una frase que siempre recuerdo: «Todos espiamos, pero nadie quiere reconocerlo».

Ningún país puede defenderse bien y sobrevivir sin una red eficaz de espías. Lo mismo sucede en las empresas, muchas de las cuales poseen más poder financiero que la mayoría de los países pequeños. Estas compañías necesitan estructuras audaces de espionaje ofensivas y defensivas.

El espionaje no siempre es tan atractivo como parece en las películas de James Bond, con gente entrando en oficinas a altas horas de la madrugada, fotografiando planos secretos con cámaras fotográficas minúsculas o colocando micrófonos ocultos.

En realidad, la mayor parte de la información que se recoge

procede simplemente de escuchar lo que dicen los empleados competidores en las conversaciones diarias. Por ello el maestro Sun escribió: «La capacidad de previsión proviene únicamente de las informaciones de quienes conocen el estado real del enemigo».

Cuando eres pobre y la investigación y el desarrollo son costosos, el espionaje resulta más atractivo. Algunas empresas asiáticas han preferido conseguir avances tecnológicos utilizando un medio efectivo y económico: la información que a la competencia le costó décadas o incluso miles de millones de dólares de desarrollo, ellos la consiguieron en unas horas.

Espionaje barato casero

Estas son algunas de las maneras menos caras de obtener información de negocios patentados. No consisten en comprar microfilmes a espías o en forzar la entrada a altas horas de la madrugada, pero pueden ahorrarte dinero y tiempo.

1. *Compra una pieza y consigue el resto gratis.* La ingeniería inversa es el medio y la reproducción es el objetivo. Solo debes comprar un ejemplar del producto que estás interesada en fabricar y luego desmontarlo para saber cómo se ha hecho; una vez lo descubras, crea el producto. No es necesario tener ideas originales, ni requiere investigación y desarrollo. No olvides que existen leyes que prohíben hacer copias de productos patentados. Haz los deberes y a continuación aprovecha lo que puedas.

2. *Gorroneo imaginativo.* Puedes formar una empresa conjunta con otra firma: ellos proporcionan el diseño y tú la mano

de obra. Una vez sabes cómo se crea el diseño y conoces los detalles del producto, das por acabado el acuerdo de empresa y creas tú misma el producto. Innumerables compañías norteamericanas que fabrican desde aparatos de alta tecnología hasta bicicletas han sido víctimas de este tipo de «gorroneo imaginativo». Si tu intención es subcontratar la fabricación, piensa en qué secretos puedes revelar a cambio de la mano de obra barata.

3. *Envía a un topo.* Como es lógico, las compañías han aprendido a ser cautelosas con las empresas conjuntas y son reacias a revelar los componentes clave. Ese fue el caso de una firma estadounidense que subcontrató a una japonesa para desarrollar software, pero codificó la clave de los logaritmos para evitar que la empresa nipona reprodujese los chips.

La reacción de los japoneses fue introducir a uno de sus empleados en la compañía estadounidense «para que las empresas estuviesen más unidas». En cuanto aceptaron al empleado japonés, este se dedicó a buscar la información descodificada, que no tardó mucho en conseguir.

Puedes imaginar el final: ahora la firma nipona es dueña del mercado de este producto que antes controlaban los estadounidenses.

4. *Juega la carta de la amistad.* A menudo no necesitas trabajar tanto para conseguir la información, sobre todo con empleados estadounidenses, que son conocidos por ser muy extravertidos con los amigos. Todo lo que debes hacer es estar con ellos el tiempo suficiente; inevitablemente, cualquier pequeño secreto dejará de serlo en una barbacoa o después de beber unas cervezas.

5. *Finge ser estúpida.* Cuando aconsejo a las empresas occidentales que hacen negocios con las asiáticas siempre insisto en que la dirección diga a los empleados que deben hablar poco, lo que siempre resulta difícil porque a la mayoría de la gente le gusta alardear y presumir de lo mucho que sabe.

Cuando un socio asiático hace una pregunta elemental, los estadounidenses no pueden evitar lanzarse a hablar hasta que finalmente revelan algún secreto. ¡Se diría que excepto los estadounidenses todo el mundo parece entender la importancia de guardar secretos!

En una ocasión, en China, viajé en un jeep durante diez horas con un grupo de chinos ejecutivos con quienes estaba haciendo negocios. Durante el trayecto se quejaban de los japoneses y de lo callados que eran.

«Le formulé a uno de ellos una pregunta muy sencilla, de manual —dijo uno de mis compañeros de viaje—, pero no respondió. Yo sabía la respuesta, por supuesto, solo estaba poniéndolo a prueba. Pero no contestó.»

Está claro que el hombre no respondió porque probablemente sabía que le querían sonsacar algo.

Intentar conseguir información valiosa solo preguntando es una práctica común en Asia, pero los únicos que responden cada vez que se les pregunta son los estadounidenses. Puedes evitar dar información simplemente fingiendo que no sabes.

6. *Consigue ayuda de tu amigo cazatalentos.* Si quieres conseguir un secreto industrial siempre puedes contratar a la persona que lo inventó. Aunque esta vía a menudo te llevará a un litigio, son muchas las empresas que lo hacen.

7. *Entérate de quién es el que sabe.* En algunas industrias,

pienso en la cinematográfica o en las editoriales, contratan a consultores independientes que buscan el talento y descubren los proyectos antes de que se firmen. Los consultores pueden ser una valiosa fuente de información sobre lo que está sucediendo en tu industria o en otras sobre las que necesitas información. Aunque tú no tengas a estos «espías del pueblo» trabajando para tu organización, piensa que quizá la competencia sí los tenga.

Piensa en la protección

> El grado más alto en las disposiciones militares es llegar a no tener forma. El no tener forma hace que ni el más sutil de los espías pueda sondearte.

Las empresas occidentales no invierten el tiempo suficiente en pensar cómo proteger su propiedad intelectual. Resulta irónico porque no creen que puedan ser objetivo del espionaje industrial, cuando en realidad lo son.

13.2. Los rostros de los estafadores y de sus víctimas

> El Li [beneficio] potencial es lo que hace que los enemigos ataquen.
>
> El daño potencial que puedes causarles es lo que hace que se mantengan a distancia.

Aunque a veces resulta difícil reconocerlos, todos nos hemos encontrado con ellos: personas que consiguen nuestro afecto y cariño y luego traicionan nuestra confianza. Apelan a nuestro buen carácter y lo utilizan en nuestra contra. No solo nos engañan y nos roban; también hacen que perdamos nuestra fe en la humanidad.

Por supuesto no te recomendaré que te conviertas en una cínica y dejes de confiar en las personas, siempre hay que tener el corazón abierto. Pero debes estar alerta, sobre todo cuando empieces a ver algunas señales de astucia y traición en las personas con las que tratas.

Los estafadores en el cubículo

Todos los emperadores en la China antigua tenían a un eunuco favorito que hacía las funciones de confidente, recadero, psicólogo y hombro en el que llorar; muchos ejecutivos tienen a ese mismo tipo de persona trabajando para ellos. Maria, la vicepresidenta de una de las empresas considerada entre las quinientas mejores por la revista *Fortune* con base en Chicago, era una de esas ejecutivas; su confidente era John, su secretario personal.

Por desgracia, el confidente de Maria resultó ser un estafador, aunque fuese verdaderamente encantador. Como luego dijo Maria: «Para ser una persona con quien no estaba manteniendo una relación sentimental, se aseguró de que le entregase mi corazón».

No es que al principio no le diese motivos para confiar en

él: una vez, mientras estaban los dos en viaje de negocios, Maria necesitó una pila especial para su cámara. John fue a comprarla en medio de una tormenta de nieve.

A menudo hacía favores a Maria y (en principio) no quería nada a cambio. Cuando pasaron frente a unos grandes almacenes, de regreso al hotel en otro viaje de negocios, John se paró a mirar un traje de Armani.

—Te lo regalo —dijo Maria.

—Gracias pero no —dijo John—. No lo necesito.

Maria estaba muy impresionada. «No es un chico avaricioso», pensó. Lo que no sabía es que esa característica es frecuente en el estafador.

Poco a poco, John empezó a aprovecharse de esa confianza. Después de aproximadamente un año, le preguntó a Maria si podía trabajar en casa. «Pierdo tres horas diarias en el desplazamiento de casa a la empresa. Si no tuviese que hacerlo podría hacer más trabajo», dijo.

Maria estuvo de acuerdo y le compró un ordenador, un fax y una impresora y pagó una línea telefónica independiente para que pudiese trabajar desde casa.

Un año después, le dijo que quería mudarse a Seattle para estar más cerca de su familia. Maria accedió pensando que con la tecnología actual podría seguir haciendo el trabajo y costeó todos los gastos del traslado. No solo estuvo de acuerdo en pagar un nuevo equipo de oficina completo sino que también accedió a la petición de John de que le alquilase un despacho: «Así seré más eficiente».

Maria nunca vio la oficina, por supuesto, y con el paso del tiempo John empezó a pedir cada vez más dinero para cosas (material de oficina, ordenadores nuevos, etc.), aunque luego nunca encontraba las facturas.

No es que Maria no sospechase que John la estaba estafando, pero prefirió no creerlo. Hasta que no te encuentras en una situación similar, no sabes lo difícil que resulta aceptar que alguien te está engañando. Todos los meses, John le contaba una historia increíble de por qué no encontraba la factura del teléfono o de que la empresa la había perdido, y todos los meses Maria seguía enviando los cheques para estos gastos (no comprobados). Además, mientras tanto a John se le pagaba un sueldo considerable.

Al principio Maria superó su preocupación por los gastos diciéndose a sí misma: «Por lo menos su trabajo sigue siendo ejemplar», pero con el tiempo esto también cambió.

Una de las cosas «importantes» de los estafadores es que si les pides que hagan algo siempre te dirán que sí, aunque no tengan intención de hacerlo.

Siempre que Maria le pedía algo, John parecía sincero cuando decía: «Por supuesto, ningún problema, lo tendrás mañana». Pero cada vez cumplía menos. Maria seguía diciéndose que no podía estar engañándola, ya que parecía sincero y lo había hecho bien en el pasado. Pero con el paso del tiempo, trabajaba menos aunque seguía recibiendo su nómina.

Es interesante ver de qué modo actuaba John para continuar con esta situación. Tras prometer con aparente sinceridad hacer algo que no tenía intención de hacer, escurría el bulto con habilidad. Cuando Maria le preguntaba por las facturas que confirmaban que se había gastado algunos cientos de dólares en una compra, John sacaba a colación con destreza algún tema no relacionado: «¿Has oído que tal o cual compañía está pensando en expandirse en China?», para distraer su atención. Su esperanza (le salía bien) era que Maria se olvidase de las facturas desaparecidas.

Para excusarse por las tareas que no había realizado, John decía algo así: «Anoche trabajé hasta tan tarde y estaba tan cansado que por error lo borré todo. Cuando intenté recuperar el documento estropeé el disco duro. Ahora me he quedado sin disco duro, mi vida es una ruina, una ruina total».

Al final Maria se convertía en la culpable. Había presionado tanto a John que había arruinado su vida; y, por supuesto, tenía que darle algunas semanas para que todo volviese a la normalidad.

El delito final

¿Cómo lo pilló Maria por fin? Le pidió a John que enviase a algunos expertos prototipos de un nuevo producto para su evaluación y promoción. El objetivo era que aportasen comentarios laudatorios para usar en los anuncios. Pero John, en lugar de enviar los paquetes con las direcciones correctas y realizar el seguimiento, se limitó a inventar un par de frases sonoras. (Para asegurarse de que las respuestas parecían auténticas, John solo escribió un par, ya que si en realidad hubiera enviado los paquetes, no habría contestado todo el mundo.)

Maria no tenía ningún motivo para pensar que los comentarios eran falsos. Supo la verdad después de llamar a uno de los expertos para agradecerle sus amables palabras.

«Nunca he recibido una petición ni la he respondido», dijo.

John (por fin) fue despedido poco después. ¿Cómo había estado Maria tan ciega? Evidentemente, debería haber visto el patrón de comportamiento y haberlo despedido meses atrás.

¿Por qué no lo vio? Porque casi todas nosotras creemos en la bondad humana. Tardamos tiempo en pensar que alguien se propone engañarnos deliberadamente.

Y si bien es cierto que hay personas buenas y honradas, siempre hay algún estafador merodeando para que te apoyes en él o llores en su hombro. Él o ella estará allí para escuchar tus problemas personales y profesionales, su encanto te ablandará con facilidad y sus palabras eliminarán todas las dudas que puedas tener.

Si los comparamos con su sinceridad y desinteresada amabilidad, esos pequeños detalles como su incapacidad para cumplir con el trabajo y sus trampas en las cuentas de gastos parecen secundarios.

He conocido a muchos hombres (y mujeres) estafadores en mi vida, y creo que están desperdiciando su talento. Son muy creativos y tienen un don para el teatro y para la literatura. ¿Quién sabe? Si se esforzasen un poco podrían ser autores de un libro superventas o ganar un Oscar al Mejor Guión o al Mejor Actor.

Los «méritos» de los estafadores

Los estafadores son personas censurables. Pero... tengo que admitir que podemos aprender un par de cosas de sus elaborados engaños.

Los estafadores son:

1. Creativos diseñando sus estratagemas y llevando a cabo el timo.
2. Disciplinados. Trabajan de forma sistemática para conseguir su objetivo.
3. Persistentes. Nunca piensan en abandonar.
4. Entusiastas. No se echan en la cama para lamentarse; intentan sacar todo el partido que pueden a la vida.
5. Positivos. No dudan de si su plan va a funcionar.
6. Oportunistas. Aprovechan el momento.
7. Trabajadores natos. Siempre están «alerta».
8. Bajo presión se mantienen fríos. Si le preguntas a un estafador: «¿Me estás estafando?». Él o ella te mirará a los ojos y te dirá: «¿Cómo puedes pensar eso después de todo lo que hemos compartido?».
9. Comprensivos. Es reconfortante saber que hay alguien en el mundo que «te comprende de verdad».
10. Poseen empatía. Parece que viven tus problemas como si fuesen los suyos.

El rostro de las víctimas

La buena noticia es que puedes protegerte rechazando interpretar el papel de víctima. Aquí tienes algunos rasgos de los cuales se aprovechan los estafadores.

1. Optimista empedernida. Debes tener los ojos abiertos porque nunca ves algo negativo, o potencialmente negativo, en ninguna persona.
2. Avariciosa. Quieres conseguir algo a cambio de nada.
3. Insegura. Si necesitas a alguien que te halague y te diga lo maravillosa que eres, un estafador estará encantado de hacerlo.
4. Necesidad. Siempre puedes contar con ese amable estafador para que te proporcione consuelo emocional cuando nadie más puede hacerlo. Está claro que esta situación en un futuro acabará haciéndote más daño.
5. Poder. El lado oscuro del éxito es que te convierte en objetivo. Lo que no quiere decir que no tengas que esforzarte por llegar a la cima, pero cuando lo hayas conseguido ten cuidado.
6. Hambrienta de un ascenso. La gente intentará aprovecharse de tu ambición.

Protégete de los estafadores

Aunque los estafadores se encuentren en todas partes, hay algunos pasos que puedes seguir para protegerte.

1. Reflexiona sobre tus defectos. El mayor antídoto contra alguien que quiere tenderte una trampa es conocer tu carácter. Si eres muy confiada reconoce que eres vulnerable. Si esperas algo sin hacer nada a cambio puedes suponer que la gente intentará explotar tu avaricia.
2. Añade un poco de lógica a tus sentimientos instintivos. Todos sabemos que deberíamos confiar en ellos, pero si conseguimos encontrar qué hace que tu intuición reaccione de ese modo todo irá mucho mejor. Si no tienes más que un sentimiento instintivo, es posible que el estafador se gane tu confianza. Pero si sabes por qué tienes ese sentimiento, es más fácil mantenerse firme.
3. No seas avariciosa. Nadie puede timarte si no quieres nada de él o de ella.
4. Agótalo o agótala. Como hemos visto, uno de los «mejores» rasgos de los estafadores es el empeño. Deja que el estafador te ponga una canción, que baile y utilice todas sus armas, pero no caigas. Al final, esa persona se irá.
5. Mantente alejada. No te estafarán si te mantienes alejada de los timadores.

Pensando en los estafadores y en sus víctimas

Aunque nos gustaría pensar de otra manera, hay personas malas en el mundo. Y a pesar de que hagamos los mayores esfuerzos para protegernos, puede que nos sigan estafando. Si sucede, deja ir tu dolor, sigue adelante y considera que has aprendido una lección.

Nota final

Has acabado de leer el último capítulo pero no es el final del libro. Dado que los capítulos de *El arte de la guerra* están interrelacionados, siempre puedes volver a capítulos anteriores con el conocimiento que has adquirido en los últimos. Coge por ejemplo el capítulo sobre espionaje. Antes de lanzar tu ataque, te aconsejo que examines cómo encajan tus planes con los elementos básicos para ganar que has aprendido en el primer capítulo. ¿La acción de combate que te has propuesto sigue el camino del Tao? ¿Es el momento adecuado? Solo cuando tus intenciones concuerden con estos elementos puedes decidir el plan de acción apropiado.

Acabar este libro no significa que el trabajo esté hecho. Te animo a que cada vez que te enfrentes a una situación difícil vuelvas a leerlo. A menudo descubrirás que lo que a primera vista parece un reto en realidad es la oportunidad de tu vida.

Agradecimientos

La experiencia de escribir este libro ha sido como la de comandar una guerra. Ha habido momentos en los que me encontraba en medio de la batalla y la retirada no era una opción, entonces miraba en mi interior y conseguía más fuerza e inspiración para continuar. Por lo tanto, en primer lugar me doy las gracias a mí misma por ser más fuerte de lo que creía.

También deseo dar las gracias específicamente a los guerreros que se han implicado estrechamente conmigo en esta guerra:

Sarah Rainone, mi editora, que se ha comprometido de todo corazón con este libro. Sin su aportación, este libro no hubiese sido lo que es. Tengo mucha suerte de tenerla a mi lado.

Roger Scholl, jefe editorial de Currency, el mando supremo, que ha adoptado eficientemente *El arte de la guerra* de Sun Tzu durante todo el proceso.

Anna Ghosh, mi agente, que es una estratega nata. Tal como Sun Tzu dice: «Considera a sus soldados [escritores] como hijos predilectos; pero los mantiene en orden y no los trata con indulgencia».

Estoy en deuda con algunos guerreros de Doubleday, sin ellos este libro no hubiese sido posible: Talia Krohn por sus meditadas sugerencias editoriales; Kate Duffy y Ed Crane por su habilidad para hacer que el proyecto estuviese listo a tiempo, y Terry Karydes y Gretchen Achilles por el hermoso diseño del libro.

Y sería un descuido imperdonable no dar las gracias al autor original de *El arte de la guerra.* Usé como principal fuente un ejemplar de las primeras versiones conocidas por el hombre (y la mujer) del *Bing Fa* de Sun Tzu, que fue escrito en hojas de bambú y descubierto en la Montaña del Pavo Plateado en China en 1972. La tumba donde se encontraron las hojas data de los primeros días de la dinastía Han, alrededor del año 206 a. C. También utilicé dos libros como referencia: *Sun Tzu's Art of War*, traducido al inglés por Lionel Geiles (Confucious Publishing, © 1977) y *Sun Tzu* (Wunan Group, © 1997). Mi editora también leyó dos ediciones extraordinarias en inglés de *El arte de la guerra* para conseguir información del contexto histórico: *The Art of War: The Essential Translation of the Classic Book of Life*; edición, traducción al inglés e introducción de John Minford (Penguin Classics, Deluxe Edition, © 2002 de John Minford) y *The Art of War*, traducido al inglés por Thomas Cleary (Shambhala Dragon Editions, © 1988 por Thomas Cleary).

Índice